JN112336

鉄人講師が明かす

三羽邦美の漢文ルール

東進ハイスクール
三羽邦美
Miwa Kunimi

PHP

はじめに

二〇一九年の四月三十日をもって「平成」が終わり、五月一日から、元号が「**令和**」に改まりました。

「令和」の出典については、初めて、日本の書物である『**万葉集**』巻五、大伴旅人の「梅花の歌三十二首」の、漢文で書かれた序文、「時に、初春の**令**月、気淑しく風**和**らぐ（＝折しも、初春の美しい月が出て、気は佳く風は穏やかである）」からとったと、大騒ぎで報道されました。

「大化」から「平成」まで、日本の元号は二百四十七ありますが、出典はほぼ中国の古典でした。「令和」も実は『文選』という中国の六朝時代の詩文集の「帰田の賦」にもとを見出せるのですが、それは措いておきましょう。

この改元ムードの中で、『万葉集』が、漢文ではありませんが、「**万葉仮名**」と呼ばれる漢字だけで書かれていることも、広く知られるところとなりました。

私たち日本人の祖先は、中国からの文物が渡ってくるようになって初めて文字に触れ、圧倒的な先進国であった中国の文化を受容するために、漢字で書かれた中国の書物を学ぼうとしました。その過程で、漢字を日本語で読む「**訓読み**」を発明し、漢字の「音」と「訓」をとりまぜて、かなとして用いる表記法を発明し（これが万葉仮名です）、漢文に小さく書き込みをしたり、「・」を打ったりして、「**訓読**」する方法を発明し、長い年月をかけて、「**レ点・一二点・上下点**」などの返り点を用いるやり方に統一され、外国語をじかに日本語で読むという画期的な方法を発明しました。また、漢字から「カタカナ」や「ひらがな」を作り出して、今日のように漢字かなまじりで日本語を書くようになりました。

私たちが今日でも「漢文」を勉強するのは、高校生諸君にとっては大学入試のためですが、先人が学んで血肉としてきたものを、追体験することでもあるのです。ぜひそのような思いも抱きながら、勉強していただければと思います。

三羽邦美

二〇二〇年一月

◎目次…三羽邦美の漢文ルール

PART1 漢文の学習を始める前に

PART 2 返り点の技術を完璧にしよう！

PART 3 漢文の五文型を知っておこう

PART 4 読まない字と二度読む字

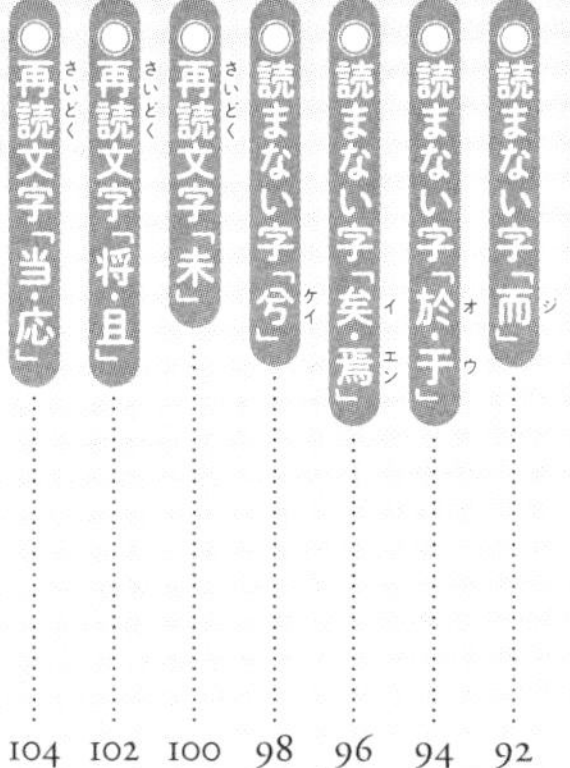

PART5 絶対使える29の句法を覚える

＊本書に掲載した例文には、漢文の「型」をわかりやすくするために、一部を省略したり、著者が独自に作成したりしたものがあることをお断りしておきます。
＊例文の漢字の右についている●印は、ここから読みはじめる（スタート）という意味です（スペースがある場合は「スタート」の吹き出しも付しています）。

PART 1

漢文の学習を始める前に

1

大昔の中国で漢字はいつごろできたのか？

❖鳥の足跡から文字を作った、四つ目の男ソウケツ

漢字の誕生については、よく知られた伝説があります。

中国古代の伝説上の帝王である黄帝のころ、**蒼頡**という人物が、地面に残された鳥や動物の足跡を見て、その特徴をとらえ、記号として使えそうだと思い、文字を作ったというものです。

むろん、この蒼頡が、いろいろな字をすべて一人で考案したとは思えませんし、あくまで伝説です。観察眼の鋭さを言おうとしたのでしょうが、蒼頡には目が四つあったといわれています。

❖亀の甲羅や獣の骨に刻まれた紀元前の占いの記録

十九世紀末、清(しん)の時代の著名な学者だった**王懿栄(おういえい)**が、当時、解熱剤(げねつざい)として売られていた竜骨(りゅうこつ)という薬を買ったところ、その竜骨(りゅうこつ)の表面に、文字のようなものが刻まれていることに気づきました。竜骨(りゅうこつ)といっても、実際は、亀(かめ)の腹側の甲羅(こうら)や、牛などの動物の肩甲骨(けんこうこつ)ですが、そこに刻まれていたのは、古代の殷(いん)王朝の時代の占(うらな)いの記録であることがわかりました。

大昔は、何をするにも占(うらな)ったのですが、亀甲(きっこう)や獣骨(じゅうこつ)にくぼみをつけ、燃え木を押(お)しつけてできるヒビ割れによって吉凶(きっきょう)を判断しました。「卜(ボク)」や「兆(チョウ)」という漢字は、そのヒビ割れの象形(しょうけい)文字です。

この、**亀甲(きっこう)や獣骨(じゅうこつ)に刻まれた文字**を「**甲骨(こうこつ)文字**」といいます。

甲骨(こうこつ)文字とほぼ同じころに、食物の煮炊(にた)きに用いた三(み)つ足の鼎(かなえ)や、酒器や鏡(かがみ)などの青銅器に鋳(い)られて残っている「**金文(きんぶん)**（**金石文(きんせきぶん)**）」も、重要な史料です。これらに記(しる)された内容から、**紀元前十四世紀ごろには中国に文字があった**ことがわかっています。

2 絵文字から記号へ

蒼頡（そうけつ）の考えついた漢字のモトにかぎりませんが、古代、文明の発生した土地で生まれた文字は、まずは「**絵文字**」です。その素朴（そぼく）な絵文字の段階から、漢字はどのようにできていったのでしょうか。

❖象形文字（しょうけい）…物の形から作られた文字

漢字の作られ方のうち、最も基本的なものは、「**象形文字**（しょうけい）」です。言うまでもありませんが、これは、物の形を描（えが）いた絵文字が、長い年月の間に簡略化されたり抽象化（ちゅうしょう）されたりしてできたもので、約六百字あります。

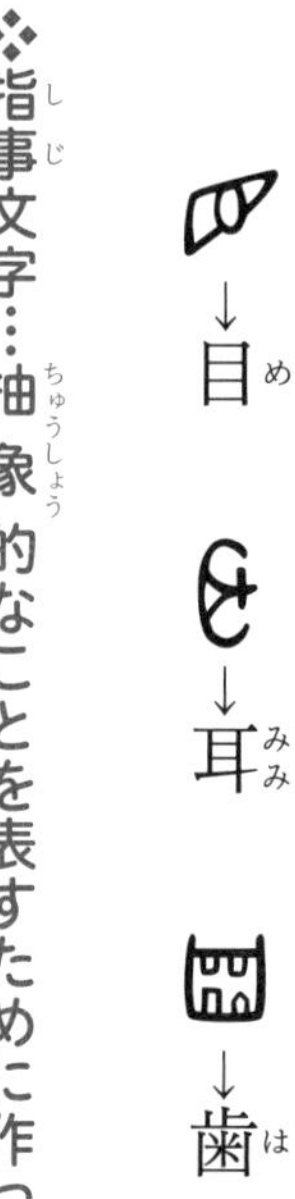

❖指事（しじ）文字…抽象（ちゅうしょう）的なことを表すために作った文字

物のように形のない「もの」や「こと」は、ただの絵文字では表せません。そこで、横棒一本で「一（いち）」、二本で「二（に）」とか、「木」の幹にあたるタテの棒の下のほうに「本」と印（しるし）をつけて根もとのことを表すという方法を考えました。これが「**指事（しじ）文字**」で、約百三十字あります。

3 もっと文字を作るために

◎会意文字と形声文字

物の形から始まった「象形」や「指事」には、限界があります。そこで考えられたのが、象形や指事を組み合わせるというやり方です。

❖会意文字…象形・指事を組み合わせて作る

象形文字や指事文字を、二つ以上組み合わせて作ったものを、「**会意文字**」といいます。「木」が二つで「林」、もっと「木」があるところは三つで「森」、そんな字はありませんが、もっとたくさんあるところは「木」を四つにして「𣛧」で「ジャングル」と読むことにするとか、そういうやり方です。「人」で見てみましょう。

↓比（くらべる）　↓北（そむく）　↓衆（おおい）　↓及（おいつく）

❖形声文字…偏（形）と旁（声）を組み合わせて作る

象形文字や指事文字はそもそも数が少ないので、組み合わせてもなお限界があります。そこで、**意味を表す部分（形）**と、**音を表す部分（声）**、これを「**偏**」と「**旁**」といってもいいのですが、この「形」と「声」を組み合わせるという方法で、たくさんの文字が作られるようになりました。漢字の八〇～九〇パーセントは、この「**形声文字**」です。

わかりやすい例でいうと、「氵（さんずい）」という偏は、「水」に関連するという意味を表します。それに「青（セイ）」「工（コウ）」「羊（ヨウ）」「可（カ）」「毎（カイ）」の、音を表す旁を組み合わせて、「清、江、洋、河、海」というように、字を作っていくわけです。

旁の部分は、実は、音を表すだけでなく、性質を表す一面もあります。「青」は「澄んで美しい」性質があって、「清」は「きれいな水」、「羊」は「巨」に通じる「大きい」意で、「洋」は「海よりも大きな水域」をさします。

意味と音から転用する

◎転注文字と仮借文字

ここまでの「象形・指事・会意・形声」は、漢字の作られ方の分類で、最も基本的な作られ方の「象形」と「指事」を「**文**」、「文」を組み合わせて作る「会意」と「形声」を「**字**」といいます。

これに「**転注**」と「**仮借**」を加えて「**六書**」といいますが、「転注」と「仮借」は、作られ方ではなく、漢字の応用（運用）のしかたの分類です。

❖転注文字…意味の近似・類似による転用

これは、ある漢字の本来の意味を、ほかの意味に転用するものをさします。

たとえば、「悪」の「わるい」意味から、「にくむ」意味にも用いたり、本来「音楽」の意味の「楽」を、「たのしむ」とか「らく」の意味に用いたりするのが、代表的な例です。

❖仮借文字…発音の近似・類似による転用

こちらは、字の意味は関係なく、発音が似ていることから、既存の字で代用する方法です。

たとえば、もともとは、「[illegible]」で、中に物を入れて両端をしばった袋の象形文字であった「東」を、方角の「ひがし」を表すことばと発音が同じだったことから「ひがし」の意味にも使ったり、頭から尾までをはいだ動物の「皮」の象形文字であった「革」を、発音が同じだった「あらためる」意味にも使ったりするのが代表的な例です。

古い外来語である「釈迦（シャカ）」や、「亜米利加（アメリカ）」などの、**当て字**による音訳なども仮借文字です。

今日の中国でも、外来語は「可口可乐（コカ・コーラ）」「麦当劳（マクドナルド）」のように当てて書きます。

漢字はいつごろ日本に渡ってきたか？

❖島の田んぼから発見された光武帝の金印

天明四（一七八四）年、現在の**福岡県の博多湾にある志賀島**の田んぼの中から、「**漢委奴国王**」と彫った金のハンコが発見されました。それは長い間行方不明になっていたもので、『**後漢書**』**東夷伝**に、西暦五七年、倭の奴国からの使者に、後漢王朝の初代皇帝**光武帝**が授けたと記されていたものでした。こうした記録によって、紀元一世紀ごろには、中国と外交関係があったことがわかります。とすれば当然、日本人は、当時の中国語にも漢字にも触れていたはずです。

中国の文献に日本が登場するのは、さらに古く、前漢王朝の史書『**漢書**』**地理志**に、当時、倭人の使者が貢物を持って訪れていたことが記されています。

❖弥生（やよい）時代には日本人は漢字に接していた？

昭和三十（一九五五）年、**鹿児島県の種子島**で発見された**広田遺跡**から出土した、貝を加工して作ったペンダントに、「山」と見える文字がありました。これが、ひとまず「**日本最古の漢字**」とされていますが、果たして、漢字の「山」なのか、ただの模様なのか、微妙（びみょう）な感じもします。

また、よく知られた**佐賀県の吉野ヶ里遺跡**から発見された小さな鏡（かがみ）には、「久不相見、長毋相忘（久しく相見ざるも、長く相忘るること毋（な）からん）」という文字が鋳（い）られています。

これらによって、**日本人が紀元前の弥生時代ごろには漢字に接していた**であろうことがわかります。ただ、漢字を文字として認識していたのかどうかは別の話で、カッコイイ模様のように見えていただけなのかもしれません。

今でも、意味もわからず、文字の雰囲気（ふんいき）で「台所」とかのタトゥーをしている外国人がいますものね。

邪馬台国の女王卑弥呼は漢字が読めたのか？

❖邪馬台国の女王卑弥呼、魏に使者を送る

『漢書』『後漢書』に続く中国の正史『**三国志**』の「**魏志倭人伝**」には、魏の景初二（二三八）年（二三九年という説もあります）、**邪馬台国**の女王**卑弥呼**が魏に使者を送り、貢物を持ってきたことが記されています。

魏の曹操や、蜀の劉備や諸葛孔明が活躍していた『三国志』の時代が、日本ではやっと卑弥呼のころです。

使者を送るにあたっては、口上を述べたり、親書を奉ったりするでしょうが、それは、当然、中国語であり、漢文で書かれていたであろうと思われます。ということは、邪馬台国には漢文の書ける人物がいたことになりますが、卑弥呼が漢文を読めたのかどうかは疑問でしょう。

❖使者が携えた文書の漢文を書いたのは誰か？

中国の側からすれば、日本はまさに「東夷（東のほうにある未開の異民族）」であり、「倭」の「奴」の国とか、「邪」「馬」台国とか、「卑」弥呼とかの文字の当て方は、どう見てもあまりいい意味ではありません。おそらく、当時の中国の記録者が蔑んで当てた字であろうと思われます。

卑弥呼のころの日本には、中国語がしゃべれたり、漢文が読み書きできたりする日本人はほとんどいなかったと思われますが、外交文書の作成や読解のためには、漢字・漢文を操れる存在は必要で、おそらく、そうしたことに携わっていたのは、主に**朝鮮半島から渡ってきた渡来人**であったと思われます。

7

クダラからワニが『論語』『千字文』を伝えた

❖日本に渡来した漢文の書物の、最初の正式な記録

応神天皇の十六年、だいたい紀元四世紀末から五世紀初めのころですが、そのころ朝鮮半島にあった**百済**という国から、**王仁**という学者がやってきて、『**論語**』と『**千字文**』という書物を献上したと伝えられています。

これは、『古事記』や『日本書紀』に記されているのですが、文献に記された正式な記録としては、「**日本に渡ってきた最初の漢文の書物**」ということになっています。

王仁はその後日本に定住して、応神天皇の皇子、**菟道稚郎子**の先生になって、中国から渡来した書物を教えたとされています。

文字をはじめ、大陸の先進的な文物の伝来は、四世紀ごろからの、朝鮮半島からの渡来人によるところが大きかったのです。

❖漢字・漢文の担い手は朝鮮半島からの渡来人たち

渡来人の中で、文字に通じた者は、「**史**」として、いろいろな記録や外交文書の作成のような仕事に携わるようになります。おそらく、初めのころは、こうした渡来人が文字を扱う仕事を担っていたのでしょう。

平安時代に作られた、古代の氏族を分類した『新撰姓氏録』では、京と山城・大和・河内・和泉・摂津の畿内五国の氏のうち、渡来人系の氏は約三〇パーセントにものぼっています。

王仁に漢文を習った菟道稚郎子はかなり漢文の力があったようですし、五世紀ごろには、渡来人の「史」と同じように漢文のできる日本人が、上層階級の中にはいたようです。むろんそれはかなりのエリートの話で、庶民には、漢字は相変わらず模様みたいなものだったでしょうが。

聖徳太子と、漢文で書かれた「十七条憲法」

❖日出づる処の天子、書を日没する処の天子に致す

聖徳太子は、**推古天皇**の八年（紀元六〇〇年）、当時の中国の王朝であった**隋**に使者を派遣しました。

次いで六〇七年、**小野妹子**を派遣した折に**隋の煬帝**に奉った国書にあった、

日出処天子　致書日没処天子　無恙

という冒頭文が、煬帝の不興を買ったというのは有名な話です。

これは、「日出づる処の天子、書を日没する処の天子に致す、恙無きや（＝日がのぼる国の天子が、書簡を日が沈む国の天子に送る。お変わりありませんか）」と読みますが、むろん、そのころは、（書きことばとしての）中国語で作文した

のでしょう。誰が書いたのかはわかりませんが、中国での生活を経験した遣隋使たちなど、漢文ができる層は増えていたと思われます。

❖アタマの中にあったのは中国語なのか？

聖徳太子自身も、高句麗の僧、恵慈や、博士の覚哿に漢籍を学び、漢文ができたと考えられています。六〇四年、太子は「**十七条憲法**」を発布しました。有名な第一条の冒頭は、次のような漢文です。

一曰。以和為貴。…

『**日本書紀**』では、「一に曰はく、和かなるを以て貴しとし…」と、和語っぽくやわらかく読み、今日では一般に、「一に曰はく、和を以て貴しと為し…」と、やや硬く読んでいます。聖徳太子がこれを書いたときに、中国語を書いている感覚で書いていたのか、頭の中には日本語があって、それを漢作文していたのかは、よくわかりません。もっとも、「十七条憲法」の漢文を、ほんとうに聖徳太子本人が書いたのかどうかも、よくわかっていないのですが。

9 日本人は漢文をどのように学んだか？

❖「山」ははたして「サン」でいいのか？

漢字や漢文を、日本人はどのように習ったのでしょうか。むろん、実態はよくわかっていませんが、おそらく、今日（こんにち）、私たちが初めて英語を習うときのやり方と似たようなものであったろうと思われます。

英語を習い始めのころ、たとえば、先生が、犬の絵が描（か）かれ、そこに「dog」と書いてあるボードを見せて、「dɔ́g」と発音してみせて、みんなで「ドッグ」とまねをします。

それと同じように、たとえば、先生が窓の外の山を指さして、あるいはボードに山の絵を描（か）いて、「山」という漢字を書き、「shān」と発音して、みんなで「サン」

とまねをする。最初はとにかくそんな感じだったのでしょう。

❖音読み(おんよ)は日本人がまねできた限界の発音

英語と日本語の発音に違(ちが)いがあって、なかなかネイティブのように発音できないのと同じように、当時の中国語と日本語にもさまざまな発音上の違(ちが)いがあって、おそらく、昔の日本人にとって、いくら教わってもうまく発音できない音がありました。

「山」も、中国語の「shān」は、「サン(san)」ではないわけですが、**日本人がまねられた限界**で、「山」は「サン」となった、それが「**音読み(おんよ)**」です。

漢字の「音読み(おんよ)」に慣れていくにつれて、音を仮借(かしゃ)(当て字)的に用いて、固有名詞を「獲加多支鹵(ワカタケル)」(第二十一代雄略天皇のこと)のように書くやり方もするようになります。

10 ジャパニーズチャイニーズでいいじゃないか

❖まずは外国語として勉強した

文の場合も同じように、「This is a pen.」を、先生が「ðís iz əː pén」と発音してみせて、みんなで「ジスイズアペン」とジャパニーズイングリッシュでまねをし、意味を説明してもらって、「これは一本のペンです」と「訳」します。

漢文を習い始めたころも、中国語で書かれた文章を、おそらく中国語のままで読むことを習い、それを説明してもらって、頭の中で日本語に「訳」して内容を理解していたのであろうと思われます。

しかし、英語でも、しゃべれることが目的でなく、書かれたものの意味を読解できたり、英作文ができたりすることが目的であれば、発音が「ジスイズアペン」

でもどういうことはないわけです。

❖中国語で読めることより、内容の理解が大事だった

当時の人々も、**遣隋使**や**遣唐使**になって中国へ行くようなことでもないかぎり、中国語がペラペラである必要はないわけで、漢籍を勉強している時点ではジャパニーズチャイニーズでOKだったでしょう。

昔の日本人にとっては、膨大で圧倒的な中国の文化を受容する方法としては、漢文で書かれた**書物の内容の理解**が大切なことでした。

菟道稚郎子が**王仁**に『**論語**』を教わったときも、「シ・ヲチ・ガク・ニ・ジ・ジフ・シ」のように、当時の呉音の発音をまねて音読したのでしょうが、要は、「子曰はく学んで時に之を習ふ」という内容がわかることのほうが大事なのです。

11 日本語の音読みはなぜたくさんあるのか？

本来、一つの漢字には「音」は一つしかありません。

ところが、日本語には、**一つの漢字にいくつもの「音読み」**があります。それは、日本に中国の文化が渡ってきた、何度かの時期の波のためです。

❖呉音…長江下流の呉から渡ってきた音

いちばん先に日本に渡ってきた「音」は、**紀元三〜六世紀**の、中国では、三国時代から、仏教が盛んだった六朝時代にかけてのものです。**文化の中心が長江（揚子江）下流の呉の地方**だったので、これを「**呉音**」と呼んでいます。

たとえば、「行」を、「修行」とか「行儀」「行者」「行列」のように、「ギョウ」

と読むのが呉音です。

❖漢音…隋・唐時代の都、長安の標準語

これは、中国に派遣された遣隋使や遣唐使、それに伴って海を渡り、中国本土を経験した留学生や留学僧が学んで帰った、**隋・唐時代の都**、**長安**の、つまり、**紀元六～八世紀当時の中国の標準語**で、「**漢音**」と呼んでいます。

朝廷もこれを「正音」として広めたので、漢音は、漢字の音読みの中心になりました。「行動」「旅行」「行楽」など、「行」を「コウ」と読むのが漢音です。

❖唐(宋)音…宋に渡った禅僧がもたらした音

鎌倉・室町時代に宋に渡って学んできた禅宗の僧や貿易商人たちによってもたらされた「音」です。ただ、すでに呉音・漢音が広まっていたので、唐(宋)音はあまり普及しませんでした。

「行灯」「行脚」「行宮」など、「行」を「アン」と読むのが唐音です。

今日の日本語の熟語の中にも、これらはいろいろ混在しています。

12 外国語を日本語で読む「訓読み」の発明

❖「山」は「サン」でなく「やま」でもいいのでは？

漢字の「音読み」に慣れ、字の意味も覚えていくうちに、日本人は、実にすばらしいことを思いつきました。

たとえば、「山」を「サン」と読んで使っているうちに、頭の中では、「山」の日本語にあたる「やま」をいつも思いうかべるわけで、それなら、「山」を「やま」と読んでしまおうと思いついた、それが「**訓読み**」です。

これは、**外国語の文字をはじめから自国語で読む**という、画期的な翻訳術です。

英語の「mountain」を、じかに「やま」と読むなんて、考えられませんよね。

しかし、訓読みというのはそういうことです。

今でいえば、外来語にあたる、もともと日本語にない、「梅（méi）」や「馬（mǎ）」などはそのまま「訓」として用いました。

❖訓読みも、一字にたくさん生まれた

音読みにもいろいろありましたが、「山」のような、単純な物の名前でなく、一つの漢字を、いろいろな日本語にあてはめて用いると、一つの漢字にたくさんの訓読みができるということになります。

たとえば、「生」という字は、「いきる・いかす」「うむ・うまれる」「（木などが）はえる・はやす」「（実などが）なる」「なま（熱などを加えていない・熟れていない・未熟だ）」「き（生醤油・生一本など）」「ふ（芝生）」など、いろいろな用い方にあてはめた結果、訓読みがやたら多くなってしまいました。

13

漢字を用いて日本語を書く「万葉仮名（まんようがな）」

❖漢字の「音（おん）」「訓（くん）」を用いて日本語の文を書く

やがて、日本人は、漢字の「**音**（おん）」と「**訓**（くん）」を用いて「**漢字で日本語の文を書く**」ことを始めます。

たとえば、「波留（ハル）」や「阿伎（アキ）」などは、漢字の「音（おん）」を用いていますし、「名津蚊為（なつかし）」は、漢字の「訓（くん）」を用いています。

『**古事記**（こじき）』本文の冒頭（ぼうとう）は、次のように漢字で書かれていて、一見、漢文に見えますが、漢文ではありません。

天地初発之時、於高天原成神名、…

「天地（あめつち）初（はじ）めて発（ひら）けし時（とき）、高天原（たかまがはら）に成（な）れる神（かみ）の名（な）は…」と読みます。「之」は音読（おんよ）

みの「シ」、「於」は読まない置き字（94ページ）ですが、「…に於いて」の意をくんで、「高天原に」の、「に」の読みをしています。

❖『万葉集』はすべて漢字で書かれている

『万葉集』も、すべて漢字で書かれています。持統天皇の有名な歌を例に見てみましょう。

春過而　夏来良之　白妙能　衣乾有　天之香来山

音読みは、「良・之・能」で、あとは訓読みです。「而」も置き字（92ページ）ですが、接続助詞「て」に相当し、「有」は「てあり」が縮まった「たり」です。

このような、**漢字の「音・訓」をかなとして使う**表記のしかたを、「**万葉仮名**」といいます。

江戸時代の**契沖**や**賀茂真淵**ら国学者たちの『**万葉集**』の研究も、こういう一見漢文のようで漢文でないものをどう読むのかからスタートしたのですから、たいへんな苦労でした。

14

訓点はどのようにできていったのか？

❖奈良時代末期の仏典に登場する、句読点や読み順の記号

ひらがなでズルズル書かれている『源氏物語』などの日本の古典もそうですが、中国の漢文も、もともと漢字がゴロゴロ連なっているだけで、句読点すらありませんでしたから、さぞ読みにくかったでしょう。

漢文に「**点**」**を施す**ことの始まりは、中国でも、「・。－」などを用いた**句読点**や、書き写しの誤りを訂正する「〻」のような記号がありました。

日本でも、奈良時代末期の仏典の写本に、ところどころ、墨や朱墨や、**角筆**で、「・」や「一二三」や「⁝」「⁞」のような印をつけて**読み順**を示したと思われる例があります。

角筆というのは、朝鮮半島の訓読にもありますが、先のとがった道具で、角度によって見える細い線をつける訓点です。これなら、大切な書物を汚すこともありませんし、書き込みが人にバレませんよね。

❖書き込みをカンタンにするために生まれた「カタカナ」

奈良の仏僧による、仏典への書き込みから、訓点は始まりました。

やがて、日本語の助詞・助動詞などを、万葉仮名で漢字のそばに入れるようになりますが、余白もそんなに広くはありませんから、もっとカンタンな印にしたくなるのは当然の流れでしょう。

要は自分がわかればいいんですから、「阿」の左の部分だけで「ア」、「伊」も左だけ用いて「イ」、「宇」は上だけ用いて「ウ」、「江」は右だけ用いて「エ」、「於」は左だけ用いて「オ」のように、**漢字の部分を用いて**、**助詞や**、**用言の活用語尾を書き込む**ようになります。これが「**カタカナ**」**の起源**です。やがて、漢字の草書体のくずし字から「**ひらがな**」も生まれます。

15 さまざまな流派によるヲコト点(てん)の登場

❖「・」を打っただけで読み方を示すヲコト点(てん)の工夫

書き込(こ)みをもっとカンタンにしようという工夫から、「**ヲコト点(てん)**」と呼ばれる方法が、やはり、奈良(なら)の学僧(がくそう)たちの間で生まれました。

たとえば、「山を」を読むときは、「山」の右上の角(かど)に「山」、「山に」のときは、左上の角(かど)に「山」、「山は」のときは、右下の角(かど)に「山」と点を打つというやり方です。

その約束がわかっていれば、「山」「山」「山」とあるだけで、「山を」「山に」「山は」と読めるわけです。

ヲコト点の一例

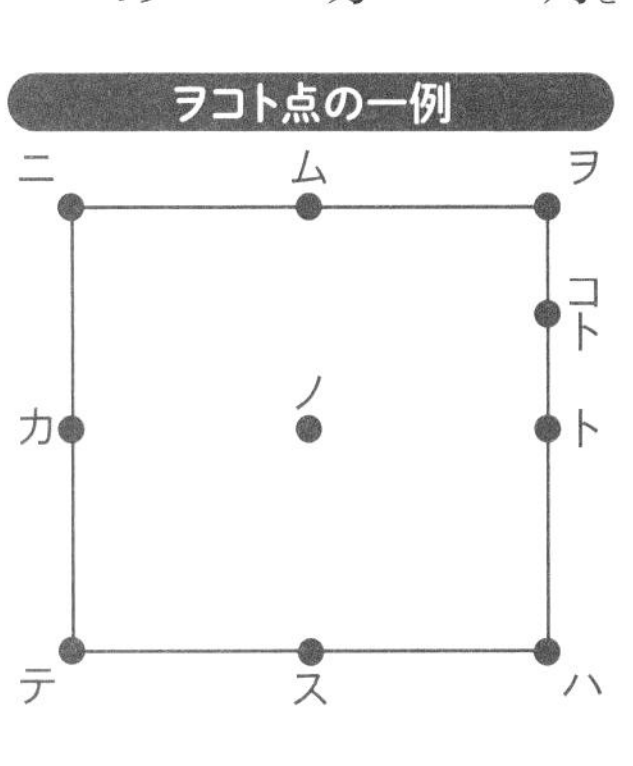

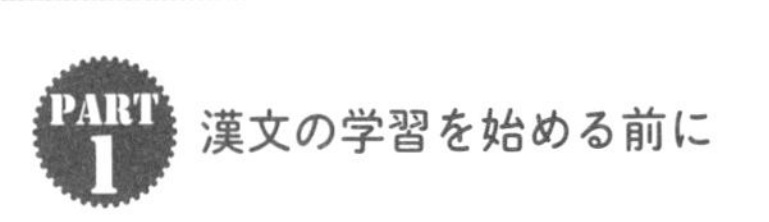

❖平安中期以降、漢文は「訓読」して読むものになった

ただ、この「点」の打ち方は、宗派や寺院によってまちまちで、今でいえば国立大学の教授にあたる文章博士の博士家の場合でも、歴史・文学・漢作文などを教える菅原家の紀伝点、儒学の経書などを教える清原家の明経点など、家によってバラバラでした。

右ページの図は、菅原家・清原家の例で、右上すみの二つの点の読みをとって「ヲコト点」といっています。

ちなみに、今日でも、**助詞のことを「テニヲハ」**といったりするのは、右のヲコト点の四すみの点を、左下すみから時計まわりに読んだものです。

こうしたいろいろな工夫によって、訓点は、漢訳仏典だけでなく、儒教の経典や、白居易の詩文集『白氏文集』などの文学書にもつけられるようになり、平安時代の中ごろ以降は、本文全体につけて、**漢文は**、「**訓読して読む**」ことがふつうになっていきました。

16

ヲコト点からレ点・一二点・上下点へ

❖学問は公家・僧侶から武士・儒者へ、仏典から儒書へ

ヲコト点による訓読は、宗派や博士家によってまちまちで、秘伝とする傾向もあり、誰でも使える共通した方法にはなりませんでした。

鎌倉時代からは、学問は、公家や僧侶から、武士階級にも及んでいきました。仏教の世界でも、宋に渡った僧によって禅宗や朱子学が伝わり、訓読の対象も、漢訳仏典より、儒学の経書に移っていきます。

室町時代ごろには、ヲコト点はしだいにすたれて、段階は複雑にあるのですが、徐々に、今日に通じる、「レ点」「一二三点」「上中下点」「甲乙丙丁点」と、カタカナによる「送りがな」を組み合わせた訓読法が生まれていきます。

❖広く普及した江戸時代の儒者、林羅山の「道春点」

紅葉で有名な、京都の東福寺の僧、**岐陽方秀**という人が、**朱子**による『論語』『孟子』『大学』『中庸』の「**四書**」の注釈を、初めて訓読して講義したのですが、その訓点をのちに**文之玄昌**という僧が完成させました。これが、江戸時代の「四書」の訓読の基礎になります。

中国本土で学んできた禅僧たちとしては、たとえば、「而」などの、後には読まない置き字として扱う字も、存在している以上、原語としては意味があるわけで、『論語』の「学而時習之」なども、「学んで而して時に之を習ふ」と読んだりします。

江戸時代の朱子学者、**林羅山**は、「学んで時に之を習ふ」と、ほぼ今日と同じように読んでいます。

羅山の訓読は、羅山の出家後の号をとって「**道春点**」といいます。「道春点」は、江戸時代を通じて広く用いられました。

逆に、**荻生徂徠**のように、「訓読」するのは邪道で、中国語で読むべきだと唱えて実践した学者もいました。

❖漢文の訓読法はオランダ語・英語の訓読にも応用された

余談のようなものですが、中学で英語を習い始めたころ、教科書ガイドが上のようになっていたのをよく覚えています。

「am」というbe動詞が、「です」という丁寧語なのはどうかと思いますが、こうした、いわば「**欧文訓読**」法は、江戸時代にはオランダ語、明治以降は英語の勉強に応用されていました。

単語のすみっこに、日本語に訳す順の数字をつけるという方法です。しかし、長い文によっては、1・2・3……16・17とかになってしまうので、しだいになくなっていきました。

I am a boy.
①私は ④です ②一人の ③少年

PART 2

返り点の技術を完璧にしよう！

あっという間に年はとる

◎漢文学習の基本用語

漢文の勉強をスタートする前に、このあと、ふつうに使っていく、用語をいくつか知っておいてください。

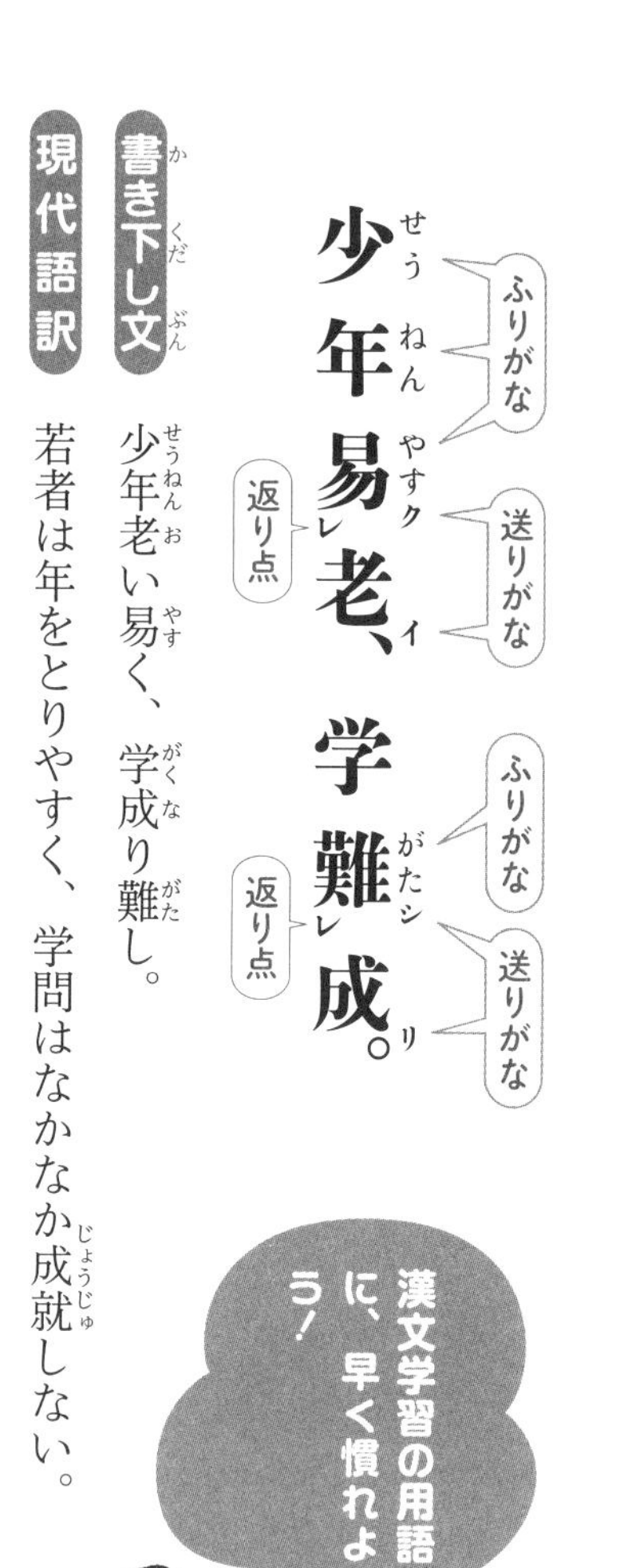

返り点…**漢字の左下**に、小さくつけます。漢文は、日本語と文の構造が違うため、下の字を先に読んでから上の字へ返って読むことがあります。その**返り方を示す印**です。

送りがな…**漢字の右下**に、**カタカナ**で、小さくつけます。送りがなにするのは、漢文にはない、**用言（動詞・形容詞・形容動詞）や助動詞の活用語尾や**、**助詞**などです。

ふりがな…**漢字の右横**に、**ひらがなで**、小さくつけます。すべての字につけるわけではなく、読みにくい字につけてあります。

書き下し文…**訓点（返り点・送りがな）**に従って**訓読**した（日本語として読んだ）ものを、**ふつうの日本語のように漢字かなまじり文にしたもの**を「書き下し文」といいます。

書き下し文は、**文語文法・歴史的かなづかい**に従います。**日本語の助詞・助動詞にあたる字はひらがな**にします。

18

私の心は石ころではない

◎単独のレ点

まずは、いちばんカンタンな「**レ点**」からです。
上から下へ読んでいき、左下にレ点がついている字があったら、一字下の字を先に読み、左下にレ点がついている字へ、一字返ります。

スタート

我心匪レ石。

左下にレ点があるから、とばして下へ

書き下し文 我が心は石に匪ず。

現代語訳 私の心は石ではない。

レ点は、とにかく、下の字から一字上に返ります！

「我が心は」までは、返り点がありませんから、「我が」からスタートして、上から下へそのまま読めばOKです。

次の三文字め「**匪**」は、120ページにある「**非**」と同じです。「**あらズ**」**と読んで**、「**…ではない**」という意味になる**否定語**です。この「匪」の左下に**レ点**がありますから、「匪」は読まずにとばして、一字下の「石に」を先に読みます。そして、レ点で一字上の字へ返って「匪ず」を読みます。

レ点は、**一字上へ返る返り点**です。そして、**返り点は**、**あったら必ず返り**、**片づけてから下へ行く**。これが鉄則です。

これは、中国最古の詩集『**詩経**』の中にある詩の一句です。「我が心は石に匪ず。転がすべからざるなり」と続いていて、石は硬くても転がすことができるけれど、「私の心は石ではないから、石ころのように軽々しく転がすことはできない」という意味です。

こぼした水は戻せない

◎続いているレ点

レ点は、重ねて用いられていることがあります。いくつ重なっていても、**レ点の原則は「一字上へ返る」**ですから、一字一字、各階止まりのエレベーターのように返ればOKです。

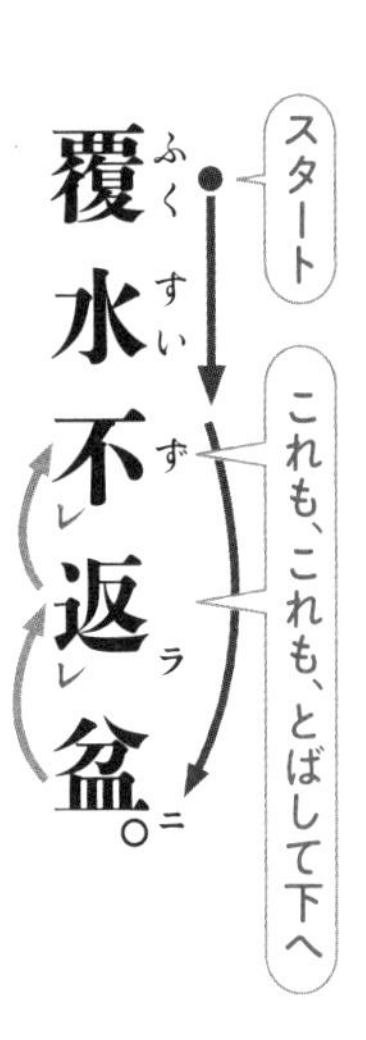

スタート
これも、これも、とばして下へ
覆水不返盆。

書き下し文 覆水盆に返らず。

現代語訳 こぼした水はもとの器には戻らない。

「覆水」まではいいですね。上から下へ。

そのあと、三文字めの「不」にも、四文字めの「返」にも、左下に**レ点**がついています。「不」へ返るには「返」を先に読まなければなりませんが、その「返」にも**レ点**がありますから、もう一字下から返ってこなければなりません。

つまり、「不」も「返」もとばして、「盆に」を読んだら、「返ら」へ一字返り、さらに「不（ず）」へ一字、**一字一字上へ**返ります。

「不（ず）」は助動詞ですから、ひらがなにして書き下します。

レ点が三つ、四つと重なっていても、「一字一字上へ」です。

「覆水盆に返らず」は、「一度やってしまったことは取り返しがつかない」という意味に用いますが、もともとは、周の**太公望呂尚**が、若いころ、生活力のなさにがまんできず出て行った妻が、呂尚が出世してから、復縁を求めてきたときに言ったことばで、「一度こわれた夫婦の関係はもとには戻せない」という意味です。

立派な人のわりには、ちょっと冷たい気もしますが……。

一を聞いて二を知るのみ

◎離れているレ点

レ点が、重ねてでなく、離れて何カ所かに用いられていることもあります。鉄則はとにかく、「**返り点があったら必ず片づけてから下へ**」ということと、「**レ点は一字上へ返る**」ことです。

聞^イテ^レ 一^ヲ 以^{もつテ} 知^ル^レ 十^ヲ。

（レ点が片づいたら下へ）
（とばして下からレ点で返る）

書き下し文　一を聞いて以て十を知る。

現代語訳　一を聞いてその十倍を理解する。

一文字めの「聞」にさっそく**レ点**がありますから、下の「一を」を読んでから一字返って「聞いて」、**これでこのレ点は終わり**です。

次に、二文字片づいたので、何もついていない三文字めの「以て」へ。

次に、四文字めの「知」の左下に**レ点**がありますから、下の「十を」を読んでから一字返って「知る」です。

重なっているレ点と違って、「一を聞いて」のレ点と、「十を知る」のレ点とは別のもので、それぞれの二文字の問題として片づければＯＫです。

孔子があるとき、弟子の**子貢**に、「おまえと**顔回**とはどちらが勝っているか」と尋ねました。顔回は、子貢にとってライバルですが、孔子のお気に入りで、たいへんな人格者でもあります。子貢は、「顔回は一を聞いて十のことを知るほどの人物です。私ごときは、一を聞いて二を知るのみです」と答えました。顔回を立ててはいますが、ここには子貢のプライドがありますよね。「一を聞いて二を知る」って、言えますか？

21

人生意気に感ず

◎単独の一二点

レ点は「一字上へ」でしたが、**二字以上上の字へ返る場合は、一二点**を用います。左下に「二」がついている字があったら、とばして、左下に「一」がついている字まで読んでから、左下に「二」のついている字に返ります。

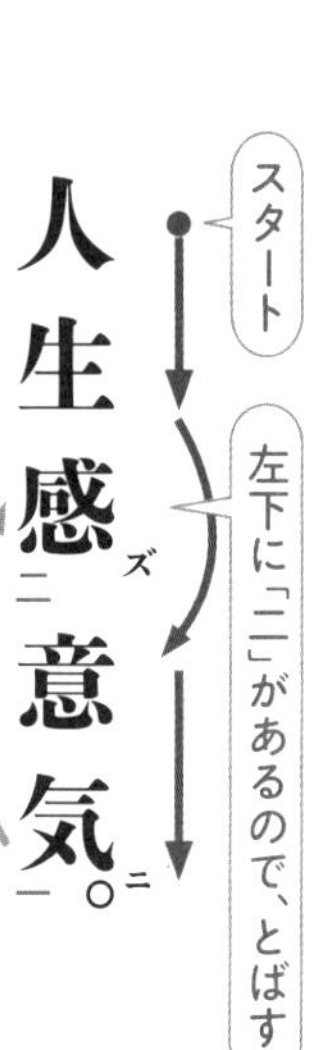

人生感ズ二意気ニ一。

書き下し文 人生意気に感ず。

現代語訳 人間は相手の意気に感じて動くものだ。

「人生」まではいいですね。

三文字めの「感」の左下に「二」があります。これは、**左下に「一」がついている字まで行ってからここに返ってくるという印**ですから、とばして、四文字め五文字めの熟語「意気」を先に読みます。

「気」の左下に「一」がありますから、ここから、左下に「二」のついている「感ず」へ返ります。

「一」から「二」の間は、例文は二字上へ返っていますが、三字でも四字でも、場合によっては、十何字でもかまいません。

一二点は「二字以上上へ」返ります。

唐の太宗に仕えた名臣、**魏徴**の「述懐」という詩の冒頭の有名な一句で、「人生意気に感ず、功名誰か復た論ぜん」と続き、「人は、相手の意気に感じて行動するものだ。そのときに、功績や名誉などを誰が論じようか、そんなものが欲しくて動くのではない」という意味です。

人事を尽くして天命を待つ

◎離れている一二点

一つの文の中に、一二点、一二点と、**一二点が二つ**、重ねて、あるいは離れて用いられていることがあります。あくまで、**それぞれ「一」から「二」へ返ればOK**です。

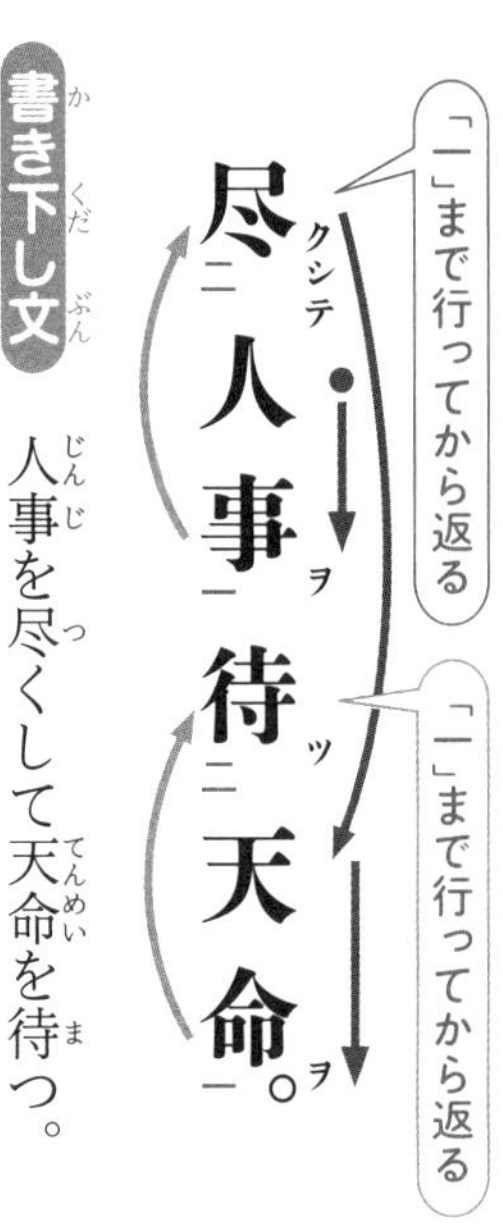

書き下し文　人事を尽くして天命を待つ。

現代語訳　人としての最善を尽くして、あとは運を天にまかせる。

離れている一二点は、それぞれ一から二へ返ればOKです。

一二点、一二点と、一二点が二つ重なっているように見えますが、それぞれ別の一二点であって、からまっているわけではありません。

「返り点があったら片づけてから下へ」が鉄則です。

一文字めの「尽」に「**二**」がついていますから、とばして、「人事を」まで読み、「事」に「**一**」がついていますから、ここから「**二**」のついている「尽くして」へ返ります。これで、一つめの一二点は片づきました。

次に、四文字めの「待」にまた「**二**」がありますから、これもとばして、「天命を」まで読み、「命」に「**一**」がついていますから、「**二**」のついている「待つ」へ返ります。

「**人事**」は、「人間のすること」「人間としてなすべきこと」という意味です。「人間としてやれる努力はやり尽くして、あとの結果は運命にゆだねる」ということです。よく使うことばですが、ほんとうに「人事を尽くした」と言いきるのは難しいことです。

23 遠く旅立つ友を見送る

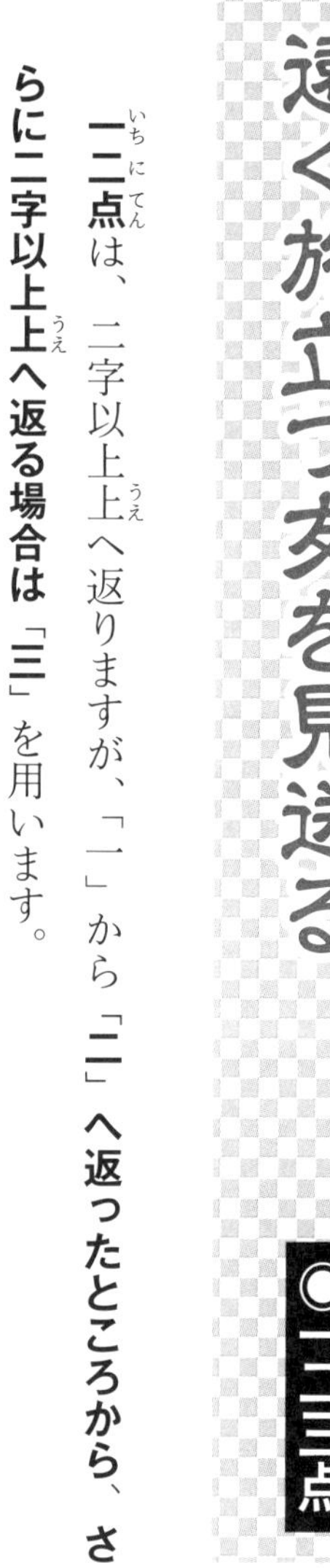

◎一二三点

一二点は、二字以上上へ返りますが、「一」から「**二**」**へ返ったところから、さらに二字以上上へ返る場合は「三」**を用います。

書き下し文 元二の安西に使するを送る。

現代語訳 元二が安西に使者として旅立つのを見送る。

一二三点は、三・二のある字をとばして一まで行ってから、二・三へと返ります。

一二三点は、左下に「三」や「二」がついている字はとばして、左下に「一」がついている字まで進んだら、そこから、「二」のついている字へ、さらに「三」のついている字へ返ります。

一文字めの「送」には「三」がついていますから、とばして、「元二の」を読み、次の「使」には「二」がついていますから、これもとばして、「安西に」まで行ったら、「西」に「一」がついていますから、そこから、「二」のついている「使する」を」へ返り、さらに「三」のついている「送る」へ返ります。

「元二」は人名、「安西」は、現在の新疆ウイグル自治区にある地名です。教科書によくある、唐の詩人、**王維**の、次のような有名な詩のタイトルです。

渭城の朝雨軽塵を浥す
客舎青青 柳 色新たなり
君に勧む更に尽くせ一杯の酒
西のかた陽関を出づれば故人無からん

天が私を滅ぼしたのだ

◎一二三四点

一二三点を用いたあと、左下に「三」がある字から、さらに二字以上上へ返る場合は「四」を用います。

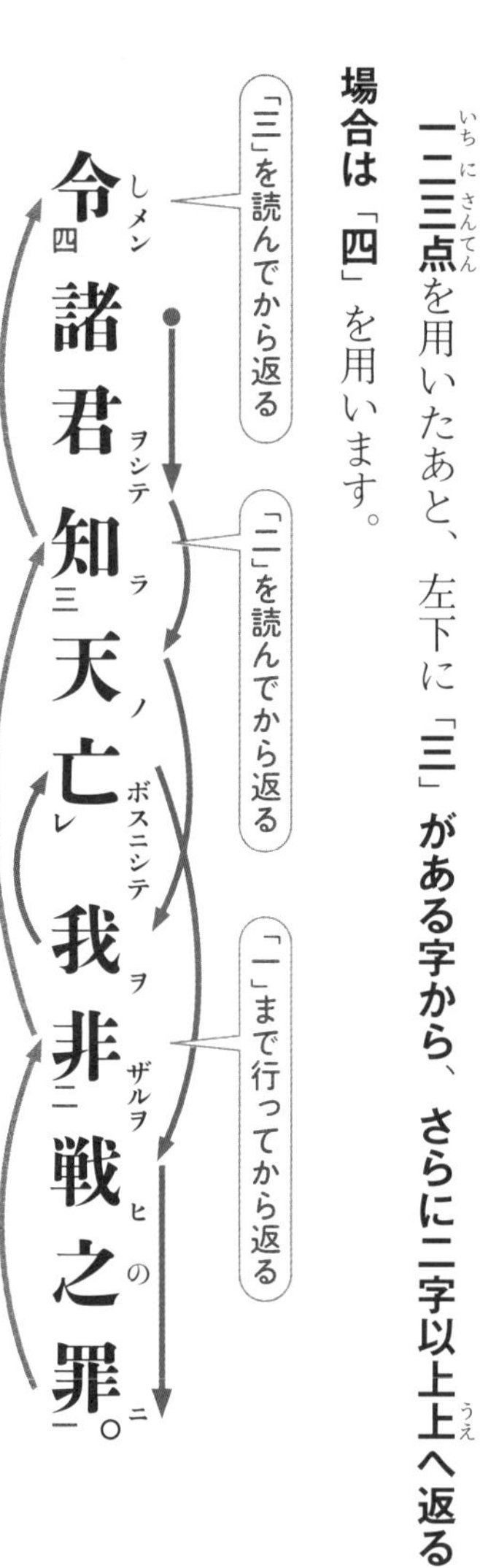

書き下し文

諸君をして天の我を亡ぼすにして戦ひの罪に非ざるを知らしめん。

現代語訳

諸君に、天が私を滅ぼそうとしているのであって、私の戦い方が間違っていたのではないことをわからせてやろう。

一二三四点は、左下に「四」「三」「二」がついている字をとばして、左下に「一」がついている字まで進んだら、そこから、「二」「三」「四」のついている字へ順に返ります。

一文字めの「令（使役の「しむ」）」に「**四**」がついていますから、とばして、「諸君をして」を読み、次の「知」には「**三**」がありますから、これもとばして、「天の」へ。次の「亡」には**レ点**があるので、下から上へ「我を亡ぼすにして」と読み、このレ点を片づけたら下へ。「戦ひの罪に」まで読み進むと、「罪」に「**一**」がありますから、ここから「**二**」のある「非ざるを」、「**三**」のある「知ら」、「**四**」のある「令（しめん）」へ、順に返ります。

「**令**」**は助動詞**、「**之**」**は助詞ですから**、**ひらがなに**します。

漢の**劉邦**との戦いで、追いつめられた**項羽**が、部下の諸将に言ったことばです。

四は、一、二、三からさらに二字以上返ります。五も同様です。

吾日に吾が身を三省す

◎熟語へ返る一二点

「一」から、二字以上上へ返っていく際に、「二」**をつけて返っていく先が熟語の場合**は、**熟語の間に「-」**をつけ、**熟語の上の字の左下に「二」**をつけます。

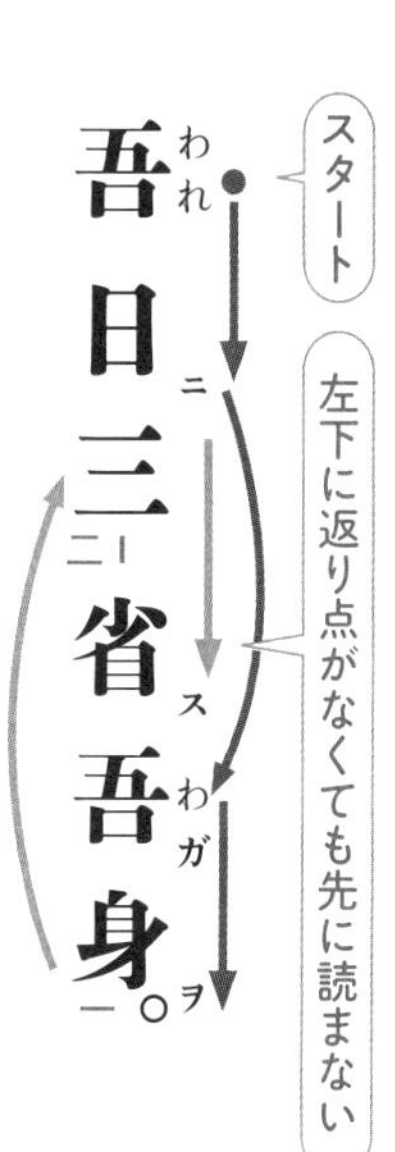

スタート
左下に返り点がなくても先に読まない
吾日三省吾身。

書き下し文

吾日に吾が身を三省す。

現代語訳

私は一日に何度も自分を反省してみる。

「吾日に」と読んだあと、「三」の左下に「二」がありますから、これはとばすとして、「省」の左下には何もありません。しかし、「三」と「省」の間に「一」があります。これは**二字の熟語だから離さず読みなさいという印**ですから、「省す」と先に読んだりせず、「三省す」と読まなければなりません。この「一」は、例は少ないですが、三字の熟語の場合でも同じです。熟語へ返るのに、「一」がつけられていないことも稀にあります。

「吾日に」のあと、「吾が身を」と、「一」がついているところまで行って、「二」がついている「三」、そして「省す」へ読み進みます。

「三」は、数や回数が多いことを表しますが、**曽子**は『論語』の中で、「人から相談されて真心を尽くして答えたか。友人とのつきあいのうえで信義に欠けることがなかったか。自分でもよく習熟していないことを人に教えたりしなかったか」と、三つのことを言っています。三つのことにせよ、何度もにせよ、ずいぶんまじめなことですね。

天下を掃除するぜよ

◎熟語から上への三点

二字の熟語に一二点で返ったあと、**「二」がついた二字の熟語から一字上へ返る場合**は、レ点ではなく、「三」を用います。

書き下し文　大丈夫当に天下を掃除すべし。

現代語訳　大丈夫たる者は天下を掃除するべきだ。

「**大丈夫**」は「立派な男子」の意で、「**丈夫**」も同じです。

その下の「**当**」は、**再読文字**といって、返り点が左下にないものと見て一度読み、もう一度返り点どおりに返って読みます（104ページ）。

まず、「当」を「まさに」と読みます。そのあと、「二」がついて、間に「-」のある熟語「掃除」はとばして、「天下を」まで行ったら、「下」に「**一**」がついていますから、そこから「**二**」のついている熟語「掃除」へ返り、「**三**」がついている、「当」の二度めの読み「べし」へ返ります。左下に「二」と「三」のついている字の間が一文字ですが、「掃除」の「除」から「当」へは、二字返りますから、「当」の左下は「三」になります。

後漢の時代、**陳蕃**が部屋を汚くしているのを父の友人が見かね、「ちょっとは掃除したら」と言ったのに対して、陳蕃が答えたことばです。男子たる者が世にあるからには、天下の掃除をするべきで、自分の部屋の掃除はどうでもいい、ということです。

無用だからこその天寿

◎二点から一字上へ

レ点と一二点の鉄則は、「**レ点は一字上へ返る**」「**一二点は二字以上上へ返る**」ということです。一二点の「二」のついた字から一字返るにはレ点です。

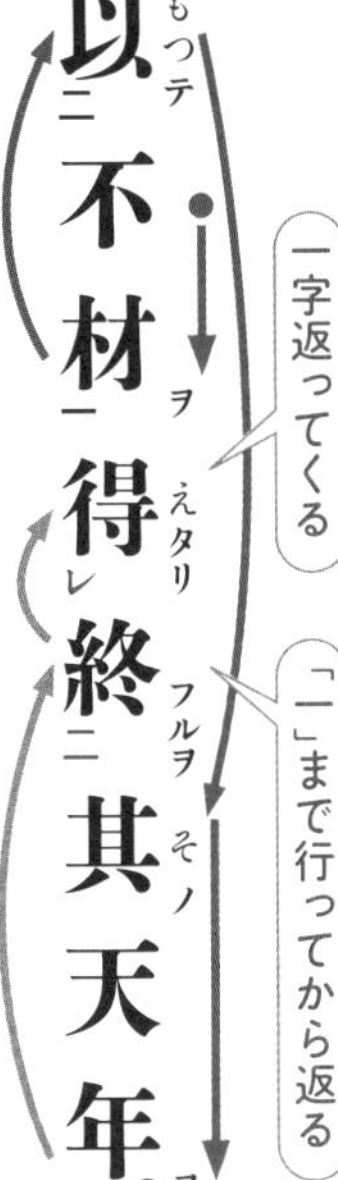

書き下し文 不材を以て其の天年を終ふるを得たり。

現代語訳 無用だからこそ天寿を全うすることができたのだ。

「不材を以て」と返る一二点は大丈夫ですね。

そのあとは、「其の天年を」まで行って、「年」に「一」がついていますから、三字上の、左下に「二」がついている「終ふるを」へ返ります。

この「終ふるを」から「得たり」へは、**一字返るだけですから、ここがレ点であることが大事**です。「二」がついている「終」から、さらに二字以上返るなら「三」ですが、**一字返る場合はレ点**です。

石という大工の棟梁が弟子をつれて出かけたとき、幹の太さが人間百人でかかえるほどで、山をも見おろすような立派な大木を見かけましたが、石は見向きもせず、伐ろうともしませんでした。弟子たちが、なぜあの木を材木にしないのですかと尋ねると、石は、あの大木は何に使うこともできない役に立たない木なのだ、何の役にも立たないからこそ、切られることなくあれだけ長生きして大きくなっているのだ、と答えました。『**荘子**』にある話です。

無用だからこそ天寿を全うできる、という考えもアリですね。

何度も同じことはない

◎中のレ点から一二点

実際の文の中では、**レ点**と**一二**（**一二三**）**点**とは、いろいろにからみあって用いられます。

次の例は、**一二点の中にレ点がある形**です。

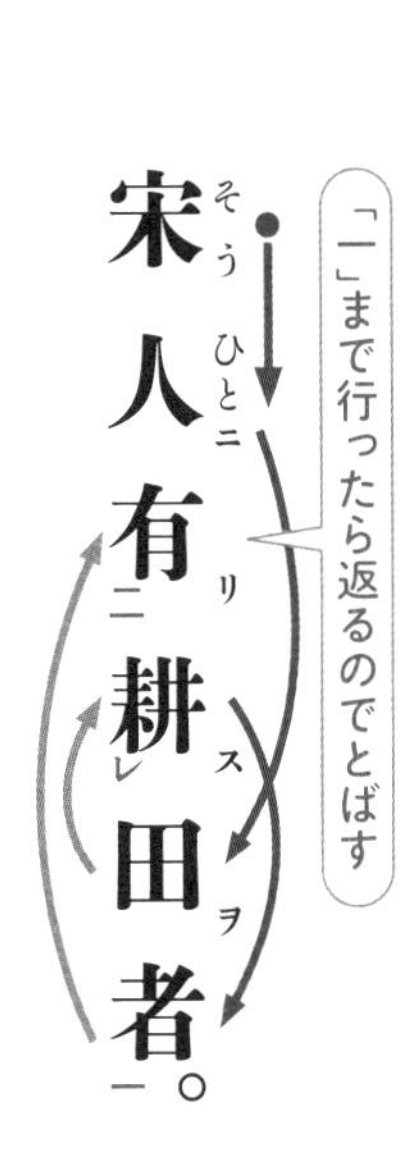

「一」まで行ったら返るのでとばす
宋人有耕田者。

書き下し文　宋人に田を耕す者有り。

現代語訳　宋の国の人で田を耕している者がいた。

中にはさんだレ点を片づけてから、外側の一二点を読みます。

上の二文字「宋人に」はいいですね。

漢文では、「宋」や「斉・秦・楚・魏」のような**国名の下の「人」は**、「…**じん**」**ではなく**「…**ひと**」と読みます。

三文字めの「有」には左下に「**二**」がついていますから、「**一**」まで行かないと返れません。「有」はとばしますが、次の「耕」には**レ点**がついていますから、一字下の「田を」を読んでから「耕す」へ一字返ります。レ点が片づいたので、下の「者」へ行きます。ここに「**一**」がついていますから、ここから、「**二**」のついている「有り」へ返ります。

とにかく、**返り点があったら片づけて下へ**行くのが鉄則です。

ある日、畑仕事をしていると、ウサギが走ってきて、木の切り株にぶつかって倒れ、やすやすとウサギを手に入れた宋人は、次の日から、畑仕事をやめて、ウサギがくるのを待ったという、「**株（かぶ・くいぜ）を守る**」という故事にある一節です。同じことが何度もあるわけがありませんよね。

人の悪口を言うな！

◎一二点をはさむ上下点

返り点も、だんだん複雑になってきます。

一二点を用いたあと、その「一」よりも下の字から、「二」よりも上の字へ、一二点をはさんで返る場合は、上下点を用います。

「上」まで行ったら返るのでとばす
悪下称二人之悪一者上。

書き下し文　人の悪を称する者を悪む。

現代語訳　人の短所を言いたてる者を私は憎む。

一文字めの「悪」には「**下**」がついていますから、左下に「**上**」がついている字まで行ってからでなければ返れません。**下にある「上」から、上にある「下」へ**返ります。

二文字めの「称」には「**二**」がついていますから、これもとばして、「人の悪を」と、「**一**」がついている「悪」まで読んでから、「称する」へ返ります。**「一」があったら、必ず「二」へ**返らなければなりません。

返り点があったら、片づけなければ下へ行けないのが鉄則です。

一二点がついた、「人の悪を称する」を読んだら、「者」へ行き、ここに「**上**」がついていますから、「**下**」のついている「悪む」へ返ります。

「者」から「悪」へは、五字上へ返りますから、一二点でいいはずですが、これを一二点にすると、

悪㆓称㆓人之悪㆒者㆒

になって、どの「一」からどの「二」に返るのか、わからなくなってしまいます。

30

子に財産を遺さない

◎上中下点

上下点は、一二点をはさんで用いるわけですが、数文字以上上へ返るという返り方は、一二点と同じです。**一二三点と同じはたらきをするのが上中下点**です。

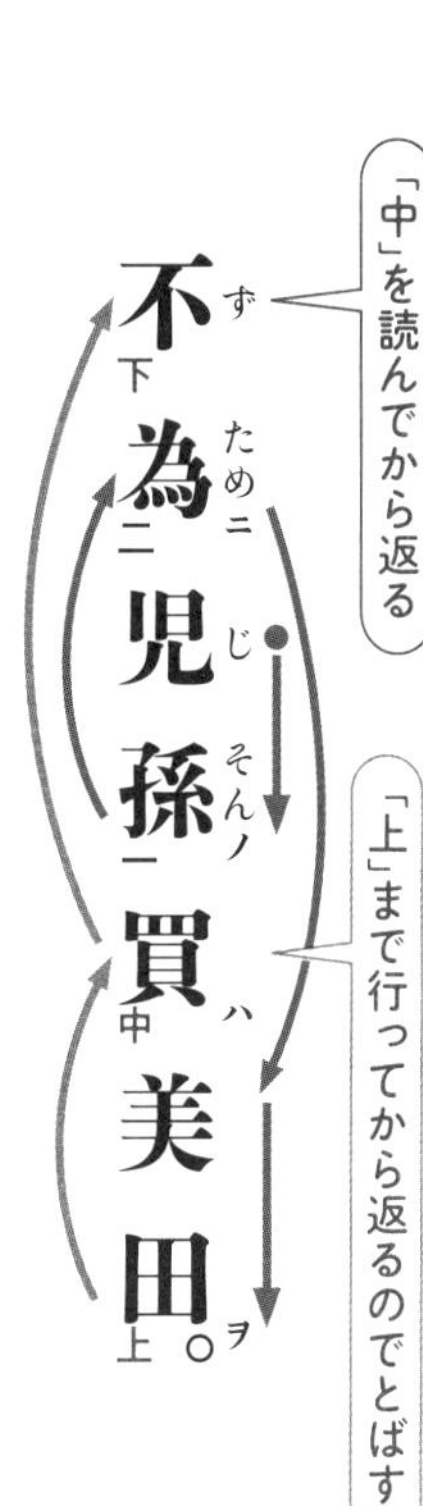

書き下し文 児孫の為に美田を買はず。

現代語訳 子孫のために大きな財産を遺さない。

一二点をはさんで、さらに上へ返るには、上中下点を用います。

右の例では、「下」と「中」の間に一二点がはさまれていますが、一二点は「中」と「上」の間にあることも、どちらにもあることもあります。

「児孫の為に」と一二点を読んだあと、「美田を」の「田」から二字上の「買は」へ、さらにそこから四字上の「不（ず）」へ返ります。返り方は一二三点なのですが、これを、一二三点にすると、

不㆔為㆓児孫㆒買㆓美田㆒

のようになって、すでにある一二点と混乱してしまうので、それを避けるために、「上中下」という**違う印を用いる**わけです。

明治の元勲であった**西郷隆盛**の「偶成」という七言絶句の結句（第四句）の、たいへん有名なことばです。

ふつうなら、子や孫に財産を遺してやりたいものでしょうが、なまじ大きな財産が手に入ると、自分で一所懸命にやっていこうとする自立心や向上心が損なわれる、と西郷は危惧しているのです。

31 ことばだけで人を用いない

◎一・上とレ点の同居

「㆑」とか、「㆖」という、**「一」や「上」とレ点が同居している印**を見かけることがあります。これらは、**下の一字からレ点で返ったあと、「一」から「二」へ、「上」から「下」へ返る印**です。

君子ハ不二以テレ言ヲ挙ゲ㆑人ヲ。

スタート

「一」から返る

レ点を先に読んで「二」へ

書き下し文 君子は言を以て人を挙げず。

現代語訳 君子は、ことばだけで人を登用したりしない。

同居する形は㆑、㆖、甲レのみで、二レ、三レ、下レなどはありません。

「**君子**」はよく出てくる語ですが、日本語の感覚での「人格者」のような意味だけでなく、漢文では「為政者」や「官職にある身分の高い人」の意味で用いられていることもあります。

三文字めの「不（ず）」には「**二**」がついていますから、とばして、「言を以て」の**レ点**を片づけ、次に、「**一**」がついている「挙げ」を見ると、「**一レ**」と、「**一**」**とレ点が同居**しています。こういう場合は、「人を挙げ」と**レ点を先に**読んでから、「**二**」のついている「不」へ返ります。

この**同居する形は**、「**一レ**」「**上レ**」「**甲レ**」**のみ**で、「二レ」「三レ」「中レ」「下レ」「乙レ」のようになることはありません。

『**論語**』の中のことばです。人は口ではいくらでも立派なことが言えますが、ほんとうにそのことばどおりの人間かどうかはわかりませんね。このことばは、「人を以て言を廃せず（＝身分の高い低いによってその人の述べるよいことばを捨てたりはしない）」と対句になっています。

才能のある者を用いよ

◎上下点をはさむ甲乙点

レ点、一二点、上下点と勉強してきましたが、上下点を用いた句をさらにはさんで上へ返る場合は、甲乙（丙）点を用います。

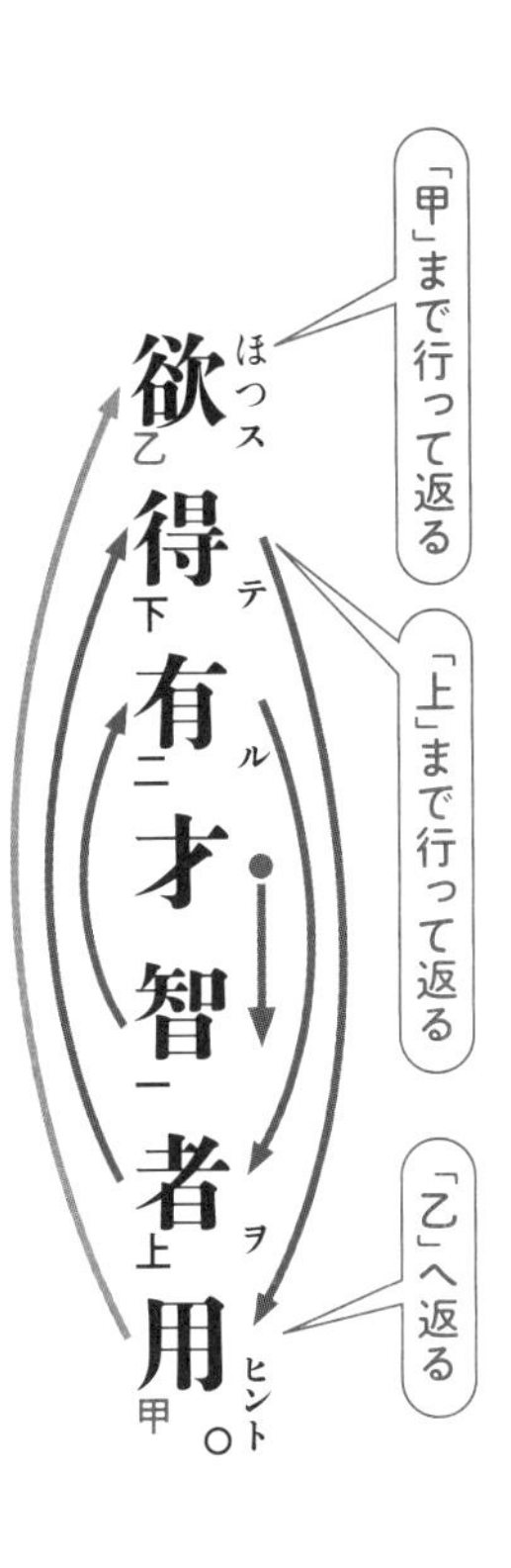

書き下し文　才智有る者を得て用ひんと欲す。

現代語訳　才智のすぐれた人材を得て登用しようと思う。

上下点もはさんで返る場合は、甲乙点、甲乙丙点を用います。

上下点は、返り方としては一二点と同じですが、

得㆓有㆓才智㆒者㆒

としたのでは、どの「一」からどの「二」に返ればよいのか混乱するので、一二点をはさんで、さらに「一」「二」のように返る場合、記号を変えて、

得㆘有㆓才智㆒者㆖

とするのでした。内側の一二点を片づけてから、下の「者」へ行き、そこから**上下点**を読みます。

甲乙点も、返り方の理屈は、一二点や上下点と同じですが、これも、

欲㆓得㆘有㆓才智㆒者㆖用㆒

欲㆘得㆘有㆓才智㆒者㆖用㆖

のようにすると、どう読んでいいか混乱します。そのため、上下点をはさんでさらに上へ返る場合、**記号を変えて**、甲乙点を用います。上下点をはさんで「一」「二」「三」、あるいは「上」「中」「下」のように返る場合は、**甲乙丙点**を用います。

33

仏教は異端である

◎上下点をパスする甲乙丙丁点

甲乙点は、上中下点をはさんで用いるのが原則ですが、次の例のように、**上中下点をパスして甲乙丙丁点**が用いられることがあります。

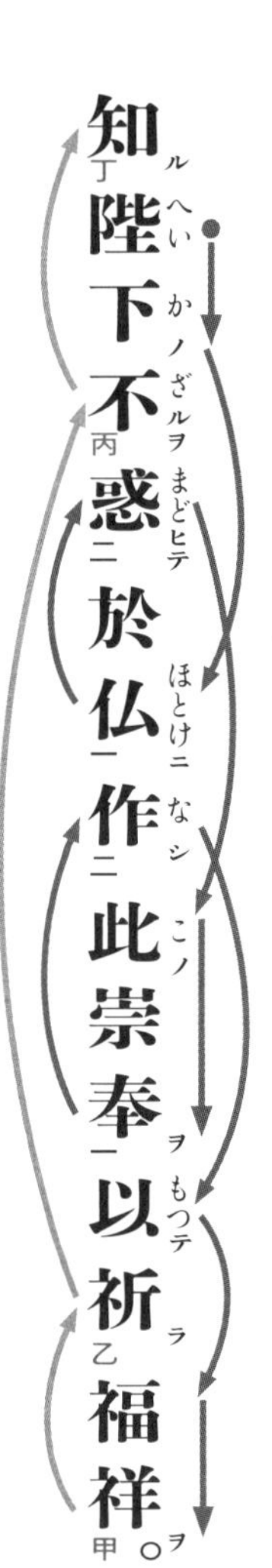

書き下し文

陛下の仏に惑ひて此の崇奉を作し以て福祥を祈らざるを知る。

現代語訳

陛下が仏に惑ってこのように仏骨（釈尊の遺骨）を崇拝し、幸いを祈っておいでなのではないことはわかっております。

「陛下の」を読んだあと、「仏に惑ひて」と「此の崇奉を作し」の**二カ所の一二点**を片づけます。「於」は「仏に」の「に」のはたらきをする、読まない「置き字」（94ページ）です。

この二カ所の一二点をはさんで、「祥↓祈↓不↓知」と上へ返りますが、一二点でいうなら、ここは**一二三四点**が必要になります。つまり、**上中下点**では「一」「二」「三」の返り方しかできず、「知」まで返れないため、**本来なら一二点の次は上中下点**を用いるのですが、**パスして**、**甲乙丙丁点**を用いるわけです。

これは、唐の著名な詩人・文章家である**韓愈**が、当時の憲宗皇帝が仏骨を宮中に迎えて崇拝したことに対し、仏教は異端で、中国古来のものではないと激しく非難した、「仏骨を論ずる表」という文章の一節です。韓愈は、憲宗の怒りに触れ、即日、左遷されることになってしまいました。

上中下点で返りきれない場合に甲乙丙丁点を用います。

ふつうに漢文の勉強をしていて出てくる返り点は、ここまで説明してきた**レ点**、**一二点**、**上下点**、**甲乙点**くらいですが、**甲乙点をはさんでさらに返る場合は天地（人）点**を用います。

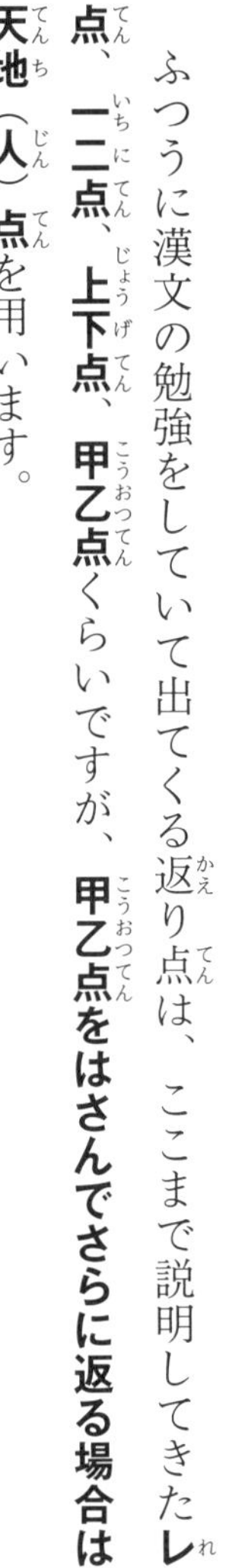

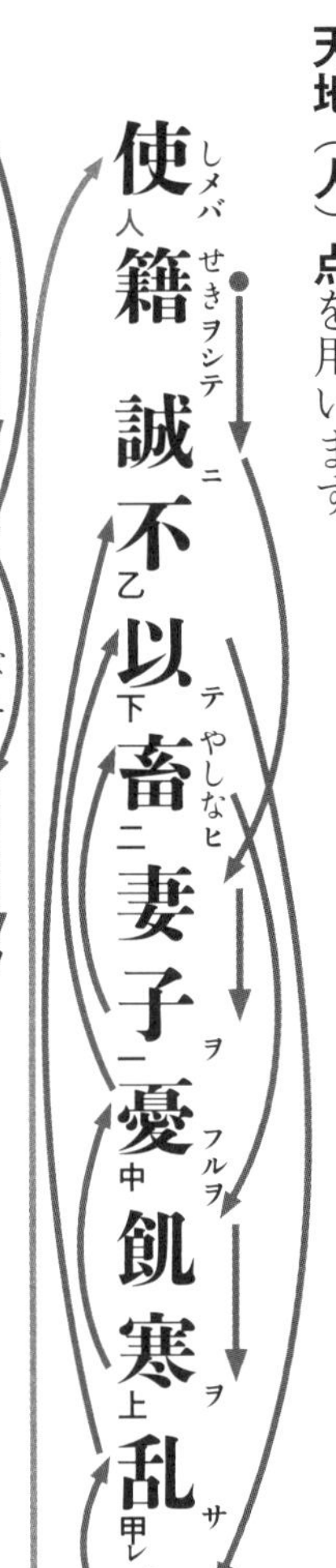

書き下し文

籍（人名）をして誠に妻子を畜ひ飢寒を憂ふるを以て心を乱さず、銭財有りて以て医薬を済さしめば、…

現代語訳

籍に、もし妻子を養って飢えや寒さを心配して心を乱すことなく、医薬をととのえる財力があるならば、…

PART3

漢文の五文型を知っておこう

大器(たいき)は晩成(ばんせい)する

◎漢文の五文型Ⅰ

まず、最も基本的な**第Ⅰ文型**「SV」の型です。

主語(しゅご) ハ／ガ → 述語(じゅつご) スル／デアル

大器(たいき)ハ **晩成**(ばんせい)ス。
S → V

書き下し文　大器(たいき)は晩成(ばんせい)す。

現代語訳　大きなものはゆっくり出来上がる。

主語－述語の第Ⅰ文型は最も基本的な形です。

溶かした銅を鋳型に流し込んで作る、お寺のつり鐘や三つ足の鼎のような大きな器物は、出来上がるのに時間がかかります。そこから、「彼は大器晩成型だ」のように、「大人物は、早くからは目立たないが、ゆっくりと大成する」という、比喩的な使われ方をします。出典は『**老子**』です。

「大器」は主語（S）、「晩成」は述語（V）です。

「大器」も「晩成」も、熟語としてそのまま音読みしていますが、もっと訓読すると、「大きなる器は晩く成る」とも読め、その場合は、主語の中も述語の中も、それぞれ「修飾語↓被修飾語」の関係があることになります。

「SV」の型といっても、実際の文は、いろいろ複雑です。

S　V　S　V

国破レテ山河在リ。

杜甫の「春望」の中の有名な句ですが、「SVSV」と重なっています。

疑いの心が鬼を呼ぶ

◎漢文の五文型Ⅱ

第Ⅱ文型は「SVO」の型です。

主語ガハ　述語スル　目的語ヲ

S　V　O

疑心生ニ暗鬼ヲ。

書き下し文　疑心暗鬼を生ず。

現代語訳　疑いの心がありもしない不安を呼び起こす。

「疑心」は「疑いの心」、「暗鬼」は「くらがりの鬼」です。何か出るのではないか、何かあるのではないかと思っていると、あらぬ妄想をかきたてて、ほんとうはありもしないものが見えるような不安や恐怖を呼び起こすという意味です。出典は**『列子』**です。

「疑心」が主語（S）、「暗鬼」が目的語（O）で、**目的語の送りがなは、だいたい「ヲ」**です。「生」が述語（V）です。

日本語では、「私は本を読む」のように、述語（「読む」）はだいたい文や句の最後で、目的語（「本を」）を先に言いますから、「疑心」（S）のあとは、「暗鬼（を）」（O）を先に読んで、そこから「生ず」（V）へ返ります。「一」「二」とついている**返り点**は、そのための印なのです。

この「SVO」の文型は、S（主語）が省かれていることが多く、この型もまた、「SVOVO」のように複雑になったりもします。

36 人食い虎より恐いもの

◎漢文の五文型Ⅲ

第Ⅲ文型は「SVC」の型です。

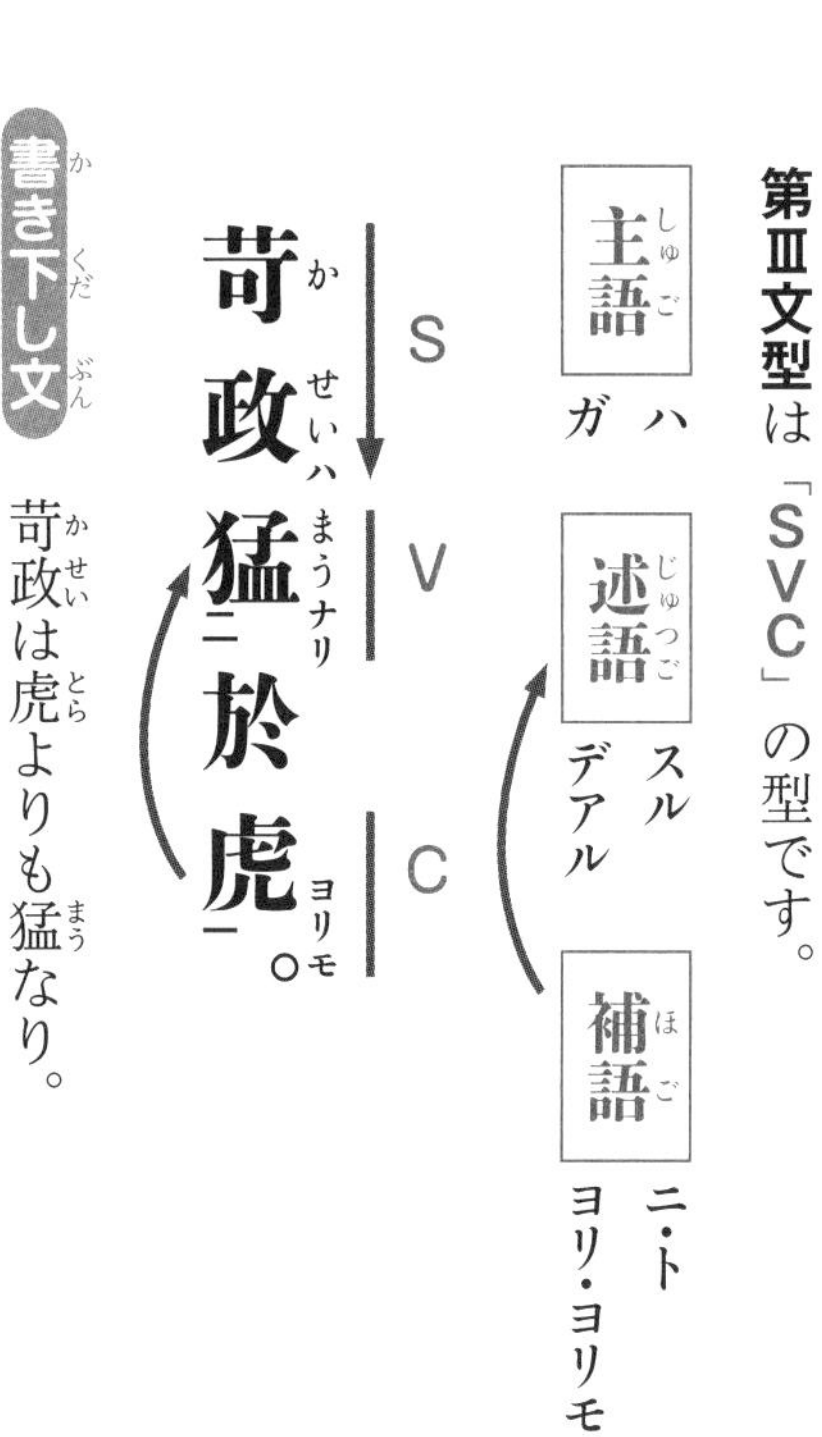

書き下し文 苛政は虎よりも猛なり。

現代語訳 苛酷な政治は人食い虎よりも恐ろしい。

孔子が、泰山という山のふもとを通りかかったとき、墓の前で大声で泣いている婦人がいて、何を泣いているのか尋ねさせると、「昔、夫の父が虎に食われて死に、夫もまた虎に食われて死に、今、息子まで虎に食われて死んだのです」と言います。「どうしてそんな危ない土地を離れないのか」と尋ねると、婦人は「ここには苛酷な政治がありませんから」と答えます。それを受けて、孔子が弟子たちに言ったのが、このことばです。

「苛政」が主語(S)、「猛」が述語(V)、「虎」は補語(C)です。目的語の送りがなは「ヲ」ですが、**補語の送りがなは通常、「ニ・ト・ヨリ・ヨリモ」**のどれかです。目的語の場合と同じく、補語を先に読んでから述語へ返ります。「虎」の上の**「於」は読まない「置き字」**(94ページ)で、補語の上に置かれ、ここでは、補語の**送りがな「ヨリモ」のはたらき**をしています。

目的語の送りがなは「ヲ」、補語の送りがなは「ニ・ト」が多いので、そこから述語へ返るのを、「**ヲニトあったら返る**(鬼と会ったら返る)!」といいます。

37

孔子と老子、どっちが上？

◎漢文の五文型Ⅳ

第Ⅳ文型は「SV」の下に「OC」とある型です。

主語ハガ　述語スルデアル　目的語ヲ　（於）　補語ニト

孔子問フ二礼ヲ於老子ニ一。

S　V　O　C

書き下し文
孔子礼を老子に問ふ。

現代語訳
孔子が「礼」を老子に尋ねた。

孔子は、**孟子**、**荀子**へと続いていく、中国の思想の主流である「**儒家**」と呼ばれる流れの祖で、最大の尊敬を払われている人物です。

老子は、**荘子**、**列子**へと続いていく、「**道家**」と呼ばれる流れの祖です。

どっちが偉いのかは、比べようもないし、よくわからないと言うべきでしょうが、孔子が「礼」について老子に教えを受けに出向いたという話があります。ってことは、老子が上?

「孔子」が主語（S）、「問」が述語（V）で、その下に目的語（O）の「礼」も、補語（C）の「老子」もあるという型です。この場合は、**目的語も補語もどちらも読んでから述語へ**返ります。「SVO」型でも、「SVC」型でも述べたように、**目的語の送りがなは「ヲ」、補語の送りがなは「ニ（ト・ヨリ・ヨリモ）」**ですから、「…**ヲ**…**ニ**…**スル**」という形になります。

ここも、補語「老子」の上に、**読まない置き字**「**於**」があって、「老子」の**送りがな「ニ」のはたらき**をしています。

今よければいいのか

◎漢文の五文型Ⅴ

第Ⅴ文型は、「SV」の下が「CO」になっている型です。

主語（ハ・ガ）　述語（スル・デアル）　（於）　補語（ニ・ト）　目的語（ヲ）

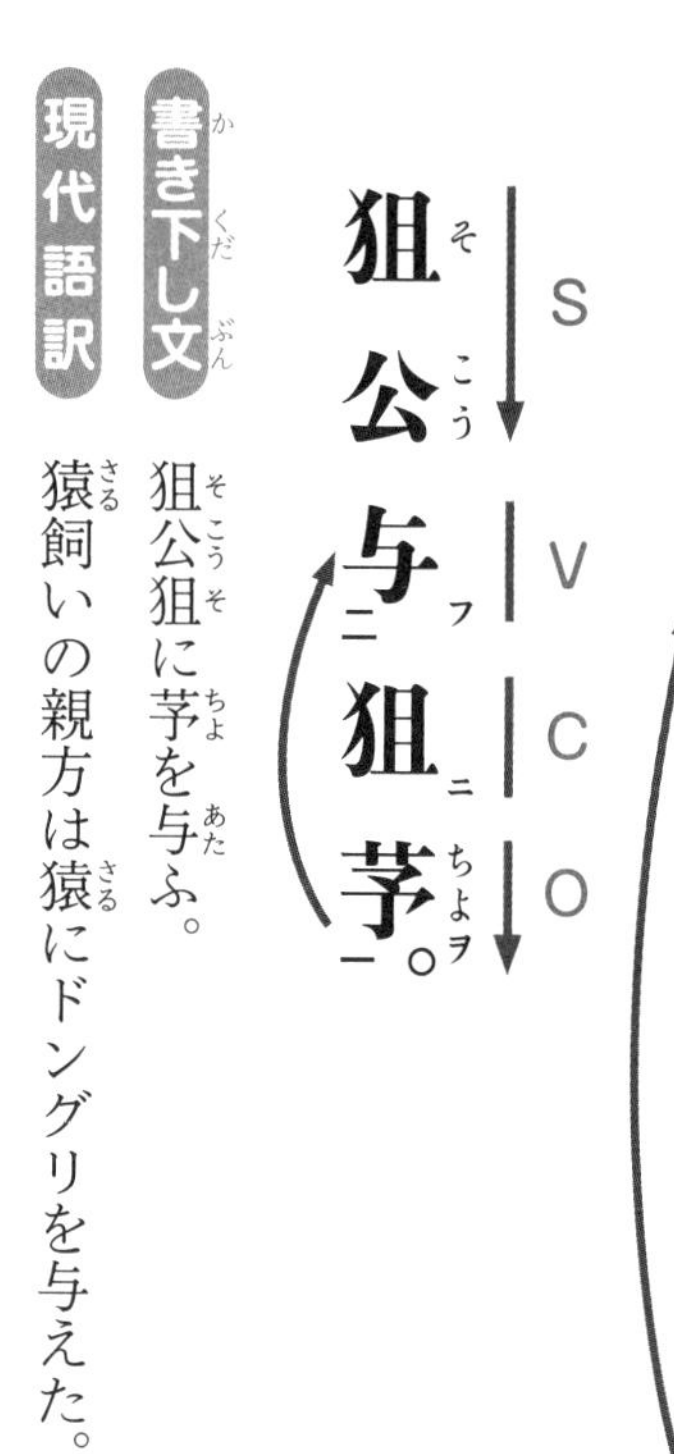

S
V
C
O
狙公与ニ狙芧一。
SVCOは、「SはCにOをVする」の形です。

書き下し文
狙公狙に芧を与ふ。

現代語訳
猿飼いの親方は猿にドングリを与えた。

サル飼いの親方が、生活が苦しくなって、サルたちの餌を減らそうとして、餌のどんぐりを、「朝三つ、夜四つでどうか」と言うと、サルたちがキャーキャー怒ったので、「よしよし、じゃあ、朝四つ、夜三つでどうだ」と言うと、サルたちは、今四つもらえるので、皆喜んだという話です。

例文はSVCO型に作ったものですが、もとの話は**『荘子』**と**『列子』**にあります。ここから生まれた「**朝三暮四**」ということばは、サル側からは、「目先の利益にとらわれて、結局は同じであることがわからない愚かさ」ということ、狙公側からいえば、「知恵のある者がことば巧みに愚かな者をだます」という意味になります。

「狙公」が主語(S)、「与」が述語(V)、その下の語順が、補語(C)「狙」、目的語(O)「芧」になっています。

「SVOC」の場合と同じく、主語のあと、**補語(C)も目的語(O)も読んでから述語(V)へ**返ります。

以上が漢文の五文型ですが、**第Ⅵ文型**ともいえる「SVCC」という型になっている例もあります。これも、**「CC」を両方とも読んでからVへ返ります。**

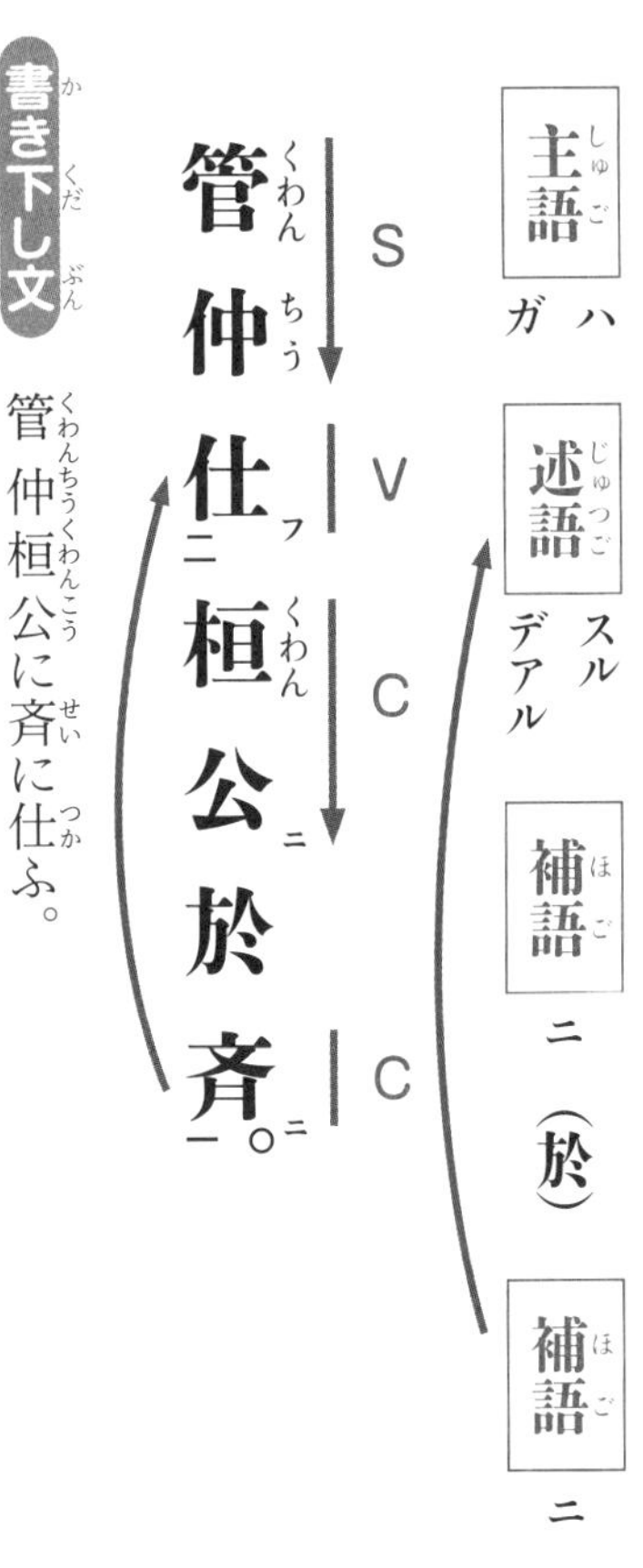

書き下し文 管仲桓公に斉に仕ふ。

現代語訳 管仲(人名)は桓公(斉の君主)に斉の国で仕えた。

PART4

読まない字と二度読む字

天はすべてお見通しだ

◎読まない字「而(ジ)」

漢文には、いくつか**「あるけど読まない字」**があって、これを**「置(お)き字(じ)」**といいます。読まないんですから、**書(か)き下(くだ)し文(ぶん)には書きません。**

まず、「而(ジ)」です。

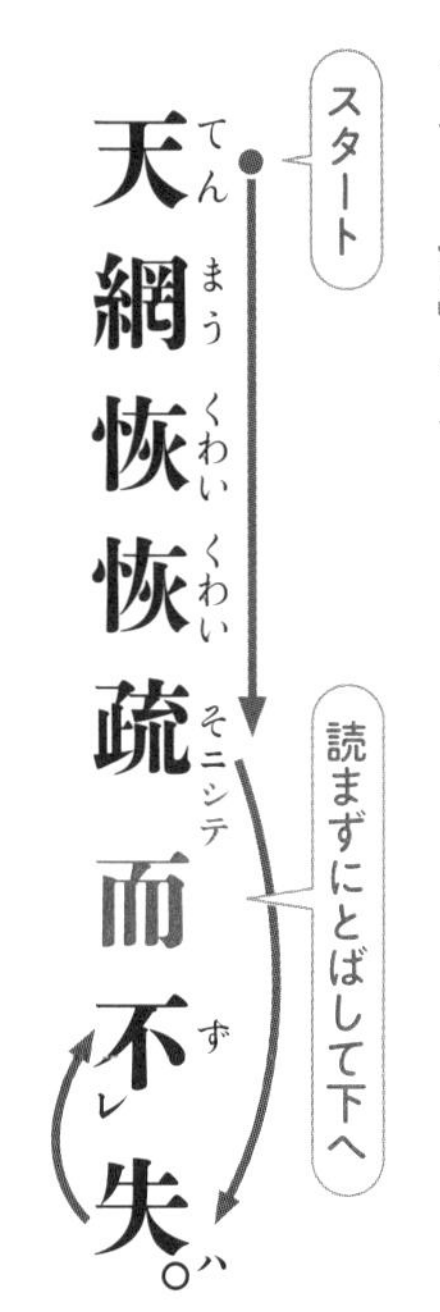

書(か)き下(くだ)し文(ぶん)　天網恢恢(てんまうくわいくわい)疏(そ)にして失(うしな)はず。

現代語訳　天の網目(あみめ)は粗(あら)いようで、決して取り逃(に)がしたりはしない。

「而(ジ)」は、直前の送りがな「テ・シテ・デ・ドモ」にあたります。

「**而**」は、読みませんが、直前の「疏にして」の「**して**」にあたります。「して」は**接続助詞**で、「…**て**」「…**で**」「…**であって**」**の意味**です。

つまり、「**而**」という置き字は、**直前の字の送りがなに用いられている接続助詞のはたらき**をしていて、**順接であれば「テ・シテ・デ」**、**逆接であれば「ド・ドモ」**にあたります。

ただし、「**而**」は、文や句のアタマにあると、**順接の場合は「しかシテ・しかうシテ」**、**逆接の場合は「しかルニ・しかルヲ・しかモ・しかレドモ」**と読むこともあります。

『**老子**』が出典のこのことばは、今では、「天網恢恢疎にして漏らさず」という言い方で通用しています。

天は広大ですから、張りめぐらしている網の目は粗いように見えますが、決して善いものも悪いものも網目の外にもらすことはない、天は善も悪もすべてお見通しだという意味です。

薬は苦いからきく！

◎読まない字「於・于」

次に、「於・于・乎」のグループです。
これらは、**補語の上に置かれて、下の補語の送りがな「ニ・ト・ヨリ・ヨリモ」などのはたらき**をします。

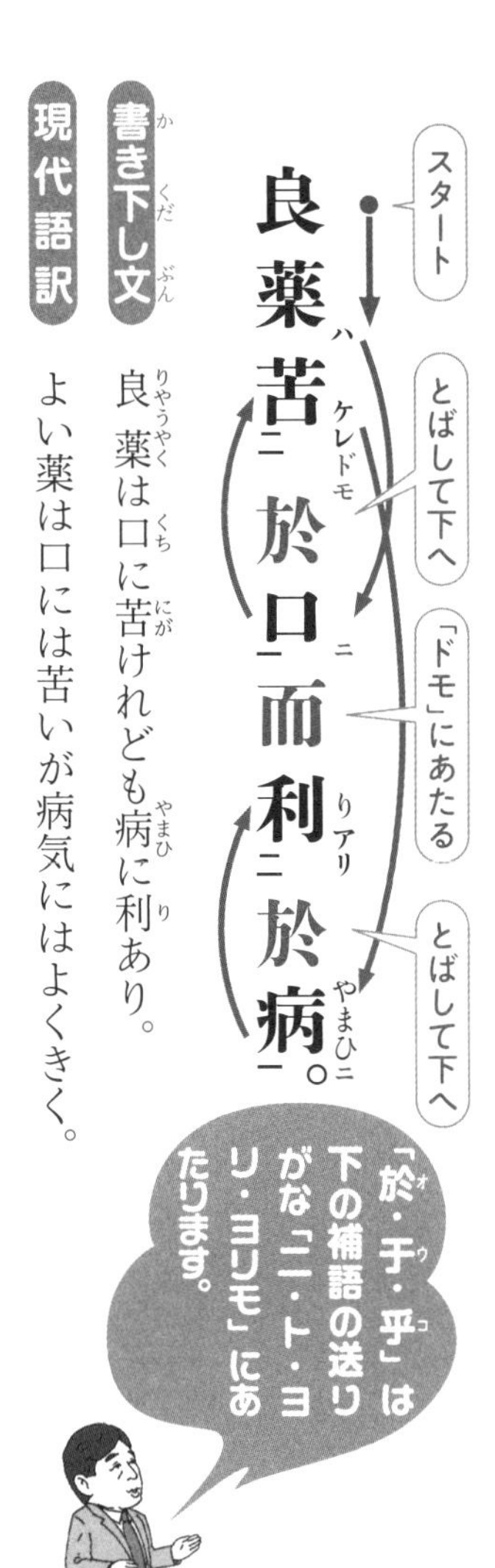

良薬ハ苦ケレドモ二於口ニ一而利アリ二於病ニ一。

書き下し文　良薬は口に苦けれども病に利あり。

現代語訳　よい薬は口には苦いが病気にはよくきく。

「良薬は」を読んだら、次は、左下に「二」がついている「苦」をとばして、「於」を読むのが順番ですが、「**於**」は**読まない置き字**ですから、これもとばします。「**於**」は、下にある「口」の**送りがな「に」**にあたります。

「**於**」は読んでいませんが、「口に」からは二字上へ返りますから、一二点を用いて、「苦けれども」。この**逆接の「ども」が「而」のはたらき**です。

「口に苦けれども」の一二点が片づいたので、下の一二点へ行って、「病に利あり」。ここも、「病」の**送りがな「に」**が、「於」のはたらきです。

だいたいは「**於**」ですが、「**于・乎**」**が用いられることも**あります。

「**良薬は口に苦し**」という、ことわざのようになっている有名な句ですが、これは、クスリのことを言いたいことばではありません。

「忠言は耳に逆らへども行ひに利あり」ということばと**対句**になっていて、「人からの忠告のことばは耳が痛いものだが、自分の行いを正すにはききめがあるのだ」ということを言いたいのです。

過ちはすぐに改めよ

◎読まない字「矣・焉」

次は、**文末で用いられる**、「矣・焉・也」のグループです。どの送りがなのはたらきということはなく、文末で、**断言**したり**強調**したりする気持ちを添えます。

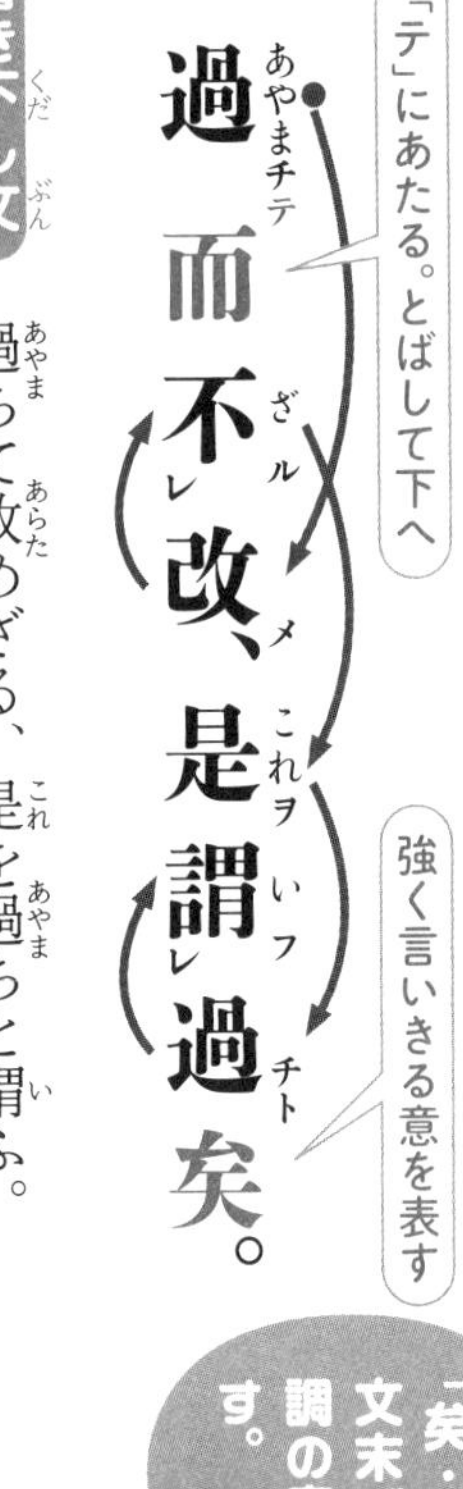

書き下し文　過ちて改めざる、是を過ちと謂ふ。

現代語訳　過ちを犯して改めない。これをほんとうの過ちというのだ。

「過ちて」の次の「**而**」は、「過ちて」の「**て」のはたらき**をしている**置き字**。もう何度も出てきましたが、それだけ頻繁に用いられているということです。

「是を過ちと謂ふ」の「**謂ふ**」は、「評して言う」とか、「面と向かって言う」意味の「いふ」です。文末の「**矣**」は、日本語ではほとんど見かけない字ですが、**文末で、強く断言する気持ち**を表しています。「**焉**」も同様に用います。

「**矣**」は、同じく文末で用いられている場合でも、**詠嘆の**「**かな**」と読むことがありますから、ちょっと気をつけましょう。

『**論語**』には、「過ち」についてのことばが多いのですが、学而篇にある、「**過ちては則ち改むるに憚ること勿かれ**」もたいへん有名です。「過ちを犯したら改めることをためらってはならない」、ほんとうにそうなんですが、それがなかなか難しいんですね。すぐに謝っておけばすんだものをってこと、ありませんか？

我が力は山をも引き抜く

◎読まない字「兮」

置き字の最後は、これも見なれない「兮」という字です。

これは、主に古い時代の**詩の中で使われて、調子をととのえるはたらき**をしています。

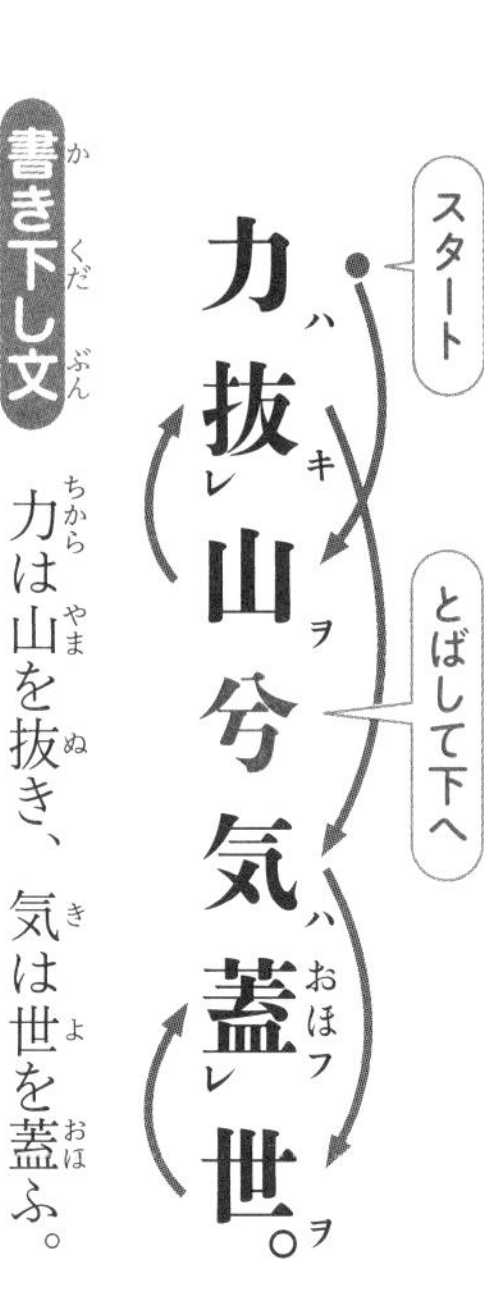

書き下し文 力は山を抜き、気は世を蓋ふ。

現代語訳 力は山をも引き抜き、意気は世を覆い尽くすばかりであった。

よく教科書にある「**四面楚歌**」の場面で、**項羽**が、自軍を取り囲んでいる敵の漢軍の陣中から、故郷の楚の民謡が聞こえてくるのを耳にして、楚の兵が大勢敵に寝返っていることを知り、もはやこれまでかと悲憤慷慨して歌った歌の一節です。次のように続きます。

時不利兮騅不逝（時利あらず、騅逝かず）
騅不逝兮可奈何（騅の逝かざる、奈何すべき）
虞兮虞兮奈若何（虞や虞や、若を奈何せん）

わが力はかつては山をも引き抜くほどに強く、意気は世を覆い尽くすほどに盛んであった。しかし、時はわれに味方せず、愛馬の騅も動こうとしない。騅の動かないのを一体どうしたらよいのか。虞よ、虞よ、おまえをどうしたらよいのだろう。「虞」は、項羽が連れていた愛妃、虞美人のことです。

いずれの句にもある「**兮**」は、中国音では発音されるのですが、訓読はせず、ただ、**詩の中で整調のはたらき**をします。

一度も負けたことがない

◎再読文字「未」

漢文には、「**二度読む字**」がいくつかあり、「**再読文字**」といいます。
まず、「**未（いまダ…セず）**」です。

左下に返り点があるが、無視して一度めを読む

未ダ二嘗テ敗北一セ。

「一」から返ってきて二度めを読む

書き下し文　未だ嘗て敗北せず。

現代語訳　まだ今まで一度も負けたことがない。

再読文字は返り点を無視して一度読み、返り点どおりに二度めを読みます。

「未」は、**「いまダ…セ（活用語の未然形）ず」**と読み、**「まだ…ない」**という意味になります。

「未」の左下には「二」がありますが、**返り点がないものと見て、「未だ」と一度めを読み**、「嘗て敗北せ」まで行ったら、「北」に「一」がついていますから、ここから「二」へ、**返り点どおりに返って二度めの「ず」を読みます**。

再読文字の**一度めの読み**は、おおむね副詞で、書き下す場合、「未だ」のように**漢字のまま**にしますが、**二度めの読み**は、「ず」のように助動詞が多いので、**必ずひらがな**にします。

「未」は、右の例文のように、**「未嘗…（いまダかつテ…ず）」**という形になっていることがよくあります。

ちなみに、漢文では、「敗北す」のような**二字の熟語は複合サ変動詞**です。そもそも漢文ではサ変動詞が多いので、活用形を示す場合には、**「セ・シ・ス・スル・スレ・セヨ」のサ変の形**を使います。

老いはすぐにやってくる

◎再読文字「将・且」

次の再読文字は、「**将（まさニ…セントす）**」です。「**且**」も同様に用います。
「**未然形＋ント**」から「**す**」へ返ることがポイントです。

書き下し文 老いの将に至らんとするを知らず。

現代語訳 老いがいまにもやって来ようとしているのに気づかない。

「**将・且**」は、「**まさニ…セ（活用語の未然形）ントす**」と読み、「**いまにも…しようとする**」「**いまにも…しそうだ**」という意味になります。

「老いの」まで読んだら、次が**再読文字**です。左下に「ㇾ」がありますが、「**将に**」**と二度めを読み**、「至らんと」から、**返り点どおり返って二度めの読みの「す」（サ変動詞）を読みます**。

右の例文では、わかりやすくするために、一度めの読みがな「まさニ」だけでなく、二度めの読み方の「すル」も左側に記してありますが、語幹の「す」を記さない場合は、連体形の場合「ル」、已然形の場合「レ」と、**送りがなは二音めからになります**。連用形「し」、終止形「す」などは、送りがながありませんから、文脈から考えて読むことになります。

このことばは、**孔子**が、自分の人柄を、何かに楽しくなると憂いを忘れ、「老いがいまにも迫ってくることにも気づかなくなるような人間だ」と言っていることばです。

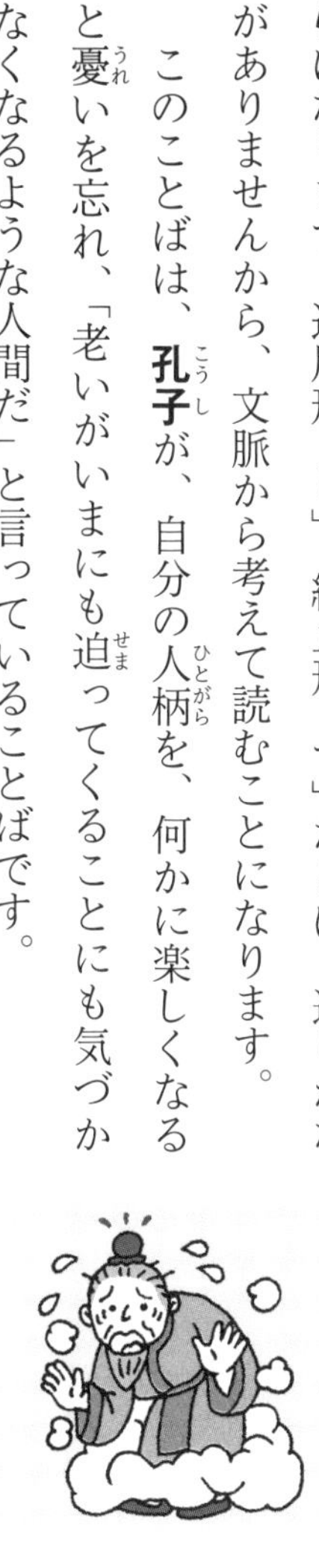

45

時を逃さず勉強せよ

◎再読文字「当・応」

次は、「当（まさニ…スベシ）」「応（まさニ…スベシ）」です。

基本的には、**「当」は当然の「べし」**、**「応」は推量の「べし」**です。

及レ時・当ニ勉励一ス。

左下に「ニ」があるが一度めを読む

「一」から返って二度めを読む

書き下し文　時に及んで当に勉励すべし。

現代語訳　時を逃さず、当然勉め励まなければならない。

「**当**」は、「**まさニ…ス（活用語の終止形）ベシ**」と読み、「**当然…すべきだ**」「…**しなければならない**」という意味です。

「**応**」は、やはり、「**まさニ…スベシ**」と読みますが、これは「**きっと…だろう**」という意味です。

古文でも、「べし」という助動詞にはたくさん意味がありますが、基本的には、「**当」は当然の「べし」**、「**応」は推量の「べし」**です。しかし、実際には互いに逆の意味にとるほうが適当な例もありますから、当然と推量のどちらにとるかは文脈から考えてみなければなりません。

「時に及んで」のレ点を片づけて、次の「当」に行くと、左下に「二」がついていますが、**返り点を無視して「当に」と一度めを読み**、サ変動詞「勉励す」から**一二点で返って、二度めの「べし」を読みます**。

陶淵明の有名な詩の一節で、このあと、「**歳月は人を待たず**（＝年月は人の都合を待っていてはくれない）」と続きます。

46

苦しかったときを忘れるな

◎再読文字「須」

次も、二度めの読みが「べし」の、「**須**（**すべかラク…スベシ**）」です。

これは**必要の**「**べし**」です。「**当**」に近い意味と言ってもいいでしょう。

須（すべかラク／ベシ）三 常ニ 思フ二 病 苦ノ 時ヲ一。

左下に「三」があるが最初に読む

「二」から返って二度めを読む

書き下し文　**須らく**常に病苦の時を思ふ**べし**。

現代語訳　常に病気で苦しんだときのことを思い出す**必要がある**。

「すべからく…べし」は、必要・必須の「べし」！

「**須**」は、「**すべかラク…ス（活用語の終止形）ベシ**」と読み、「…**する必要がある**」「…**しなければならない**」という意味です。

「**すべからく**」という言い方は耳なれないのですが、これは、サ変動詞の終止形「す」に、助動詞「べし」の未然形「べから」がつき、「曰はく」などと同じ、体言化する「く」がついたもので、「**しなければならないことには…**」のような意味になることばです。

文頭に**再読文字**「**須**」がありますから、左下の「三」という**返り点はないものとして**、**一度めの**「**須らく**」**を読み**、「常に病苦の時を」と下まで行ったら、「二」のついている「思ふ」へ返り、そして、「三」のついている「**須**」**の二度めの読み**「**べし**」**を読みます**。

江戸時代の学者、**貝原益軒**の『慎思録』にあることばですが、この一句の前に、「**病癒ゆれば多く慎みを忘る**（＝病気が治ると、人はとかく油断して摂生を忘れてしまう）」という句があります。

人の長所を見よ

◎再読文字「宜」

二度めの読みが「べし」になる再読文字がもう一つ、「**宜**（よろシク…スベシ）」です。「よろしく」という読みのとおり、これは、古文の**適当の「べし」**です。

用フルハレ人ヲ宜ヨロシクレ取ル二其ノ所ヲ一レ長ズル。

左下にレ点があるが一度めを読む

レ点で返って二度めを読む

書き下し文　人を用ふるは宜しく其の長ずる所を取るべし。

現代語訳　人を登用するにはその人の長所を取るのがよろしい。

「宜」は読み方のとおり、「…するのがよろしい」の意です。

「**宜**」は、「**よろシク…ス**（**活用語の終止形**）**ベシ**」と読み、「…**するのがよろしい**」という意味です。

「人を用ふるは」のレ点を片づけると、次の「**宜**」の左下にレ点がありますが、**再読文字**ですから、**返り点はないものと見て**、「**宜しく**」**と一度めを読みます**。

「其の」のあと、「所」の左下に「㆑」がついていますから、「長ずる所を」と、まずレ点を返り、同居する「一」があるので、そこから「二」がついている「取る」へ、そして、「取る」からレ点で返って、「**宜**」**の二度めの読み**「**べし**」**を読みます**。

ちょっと複雑な返り点ですが、慣れてきましたか？

人間は、人の短所・欠点が目につきやすいものです。しかし、そういう自分はどうでしょうか。自分では自覚していない短所は、人から見ればきっとあるものです。とくに、人を用いる立場にある場合、人の長所を見出して、それぞれの人の長所をいかに適材適所に用いるかということこそが、上に立つ人間の力量・器量というものでしょう。

やりすぎはダメだ

◎再読文字「猶・由」

次は、「**猶**（**なホ…ごとシ**）」です。「**由**」も同じように用います。二度めの読みの「ごとし」は、古文の**比況の助動詞**です。

書き下し文 過ぎたるは猶ほ及ばざるがごとし。

現代語訳 行きすぎはそこまで及ばないのと同じだ。

「**猶・由**」は、「**なホ…（ガ・ノ）ごとシ**」と読み、「**あたかも…のようだ**」「**ちょうど…と同じだ**」のような意味です。

比況（ひきょう）の助動詞「ごとし」は、右の例文のように、活用語（「不」は打消（うちけし）の助動詞「ず」）には、「ざる**が**ごとし」のように、**連体形＋「が」→「ごとし」**と接続します。

名詞（体言）には、たとえば、

不ルコトレ動カ如シレ山ノ（動かざること山**の**ごとし）

のように、**名詞＋「の」→「ごとし」**と接続します。

「**過（す）ぎたるは猶（な）ほ及（およ）ばざるがごとし**」はたいへんよく知られたことばですが、「やってしまったことはとりかえしがつかない」のように誤解されていることがあります。

これは、**孔子（こうし）**が、「やりすぎるくらいできる」弟子と、何事にも「やり足りない」弟子を評したことばで、やりすぎるのはやり足りないのと同じで、どちらもダメ、人は「**中庸（ちゅうよう）**（ほどよいこと）」が大切だということを言っているのです。

自分の考えを言ってみよ

◎再読文字「盍」

再読文字の最後は、「**盍**（**なんゾ……セざル**）」です。

二度めの読みが連体形「ざル」になるのは、**係り結び**だからです。

左下に「三」があるが最初に読む

盍（なんゾ／ざル）三 各（おのおの） 言（ハ）二 爾（なんぢノ） 志（こころざしヲ）一。

「二」から返って二度めを読む

書き下し文 盍ぞ各爾の志を言はざる。

現代語訳 どうして各々おまえたちの考えを言わないのか。

「どうして…しないのか」でも、「…したらどう か」でもOKです。

「**盍**」は、「**なんゾ…セ**（**活用語の未然形**）**ざル**」と読み、直訳すれば、「**どうして…しないのか**」ですが、「**…したらどうか**」「**…すればよいではないか**」「**…してみなさい**」のように、**勧誘**の訳し方もできます。

これは、「**何不**（**なんゾ…セざル**）」という疑問形と同じです。

また、「艹（くさかんむり）」がある「**蓋**」という似ている字がありますが、これは「**けだシ**」と読んで、「思うに…」「おそらく…」の意味を表しますから、気をつけましょう。

冒頭にある「**盍**」は、左下に「三」がありますが、**再読文字**ですから、**返り点を無視して**「**盍ぞ**」**と一度めを読み**、「各」から「爾の志を」まで行ってから、「二」のついている「言は」へ返り、そして「三」のついている「盍」へ返って、**二度めの読み**「**ざる**」**を読みます**。

「**なんぢ**」はちょっと難しい「**爾**」という字が用いられていますが、**目下の者に対して用いる二人称**で、「**汝・若・而・女**」**も同じ**です。

これは、**孔子**が、そばにいた弟子の**顔淵**（**顔回**）と**子路**に言ったことばで、「それぞれ思っていることを言ってごらん」と、勧誘の感じに訳したほうがいいようです。

顔淵と子路がそれぞれの考えを述べたあと、「先生の志はどのようなものですか？」と問われて、孔子は、「老人には安心され、友人には信用され、若い人には親しまれたいね」と答えています。「志」というとオーバーですが、なかなかいいことばですね。

PART 5

絶対使える29の句法を覚える

欲しければ飛び込め

◎否定の基本形「不」

否定の基本形は三つ。まず、「**不・弗**」です。必ず下から返って読む**返読文字**で、古文の**打消の助動詞**「**ず**」にあたり、「…**しない**」という意味です。助動詞ですから、**書き下すときは必ずひらがな**にします。

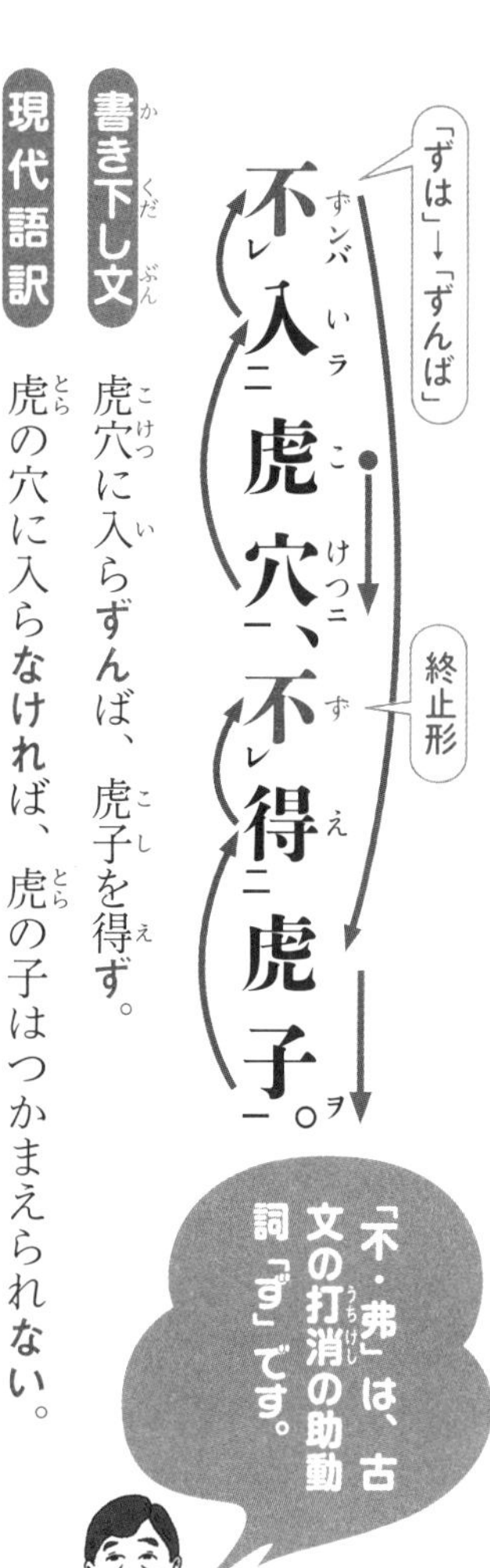

書き下し文 虎穴に入らず**んば**、虎子を得**ず**。

現代語訳 虎の穴に入ら**なければ**、虎の子はつかまえられ**ない**。

「不・弗」は、古文の打消の助動詞「ず」です。

打消(うちけし)の助動詞「ず」は、**未然形に接続**し、次のように活用します。

未然形	連用形	終止形	連体形	已然形	命令形
(ず)	ず	ず	ぬ	ね	○
ざラ	ざリ	○	ざル	ざレ	ざレ

このうち、**連体形の「ぬ」と、已然形(いぜんけい)の「ね」は、漢文では使いません。**

未然形の「ず」はもともとはなく、未然形＋接続助詞「ば」ではなく、連用形＋係助詞「は」で仮定を表しますが、その「ず」と「は」の間に撥音(はつおん)「ん」が入って「ずんは」になり、「は」が濁音化(だくおんか)したのが「ずんば」です。

左側の活用の、**カタカナになっている部分は送りがな**になります。

『**後漢書**(ごかんじょ)』にある、北方の異民族匈奴(きょうど)の討伐(とうばつ)に功があった**班超**(はんちょう)のことばで、「思いきって危険を冒(おか)さなければ、大きな成果は得られない」という意味です。

非常に大切なもののことを、「**虎**(とら)**の子**の一万円札」のように用います。

立派すぎても人はダメ

◎否定の基本形「無」

否定の基本形の二つめは「**無**」です。「**莫・勿・毋**」も同じように用います。これも**返読文字**（へんどくもじ）で、名詞（体言）からは送りがなしで、活用語は連体形（プラス「モノ」）から返ります。**形容詞**「**なし**」にあたります。

スタート

水清ケレバ無シ二大魚一。

終止形

書き下し文（かきくだしぶん）

水清（みづきよ）ければ大魚（たいぎよ）無（な）し。

現代語訳

水が清く澄（す）んでいると大きな魚はいない。

「無・莫・勿・毋」は、どれも形容詞「なし」です。

形容詞「なし」は、「…**が（は）ない。…なものはない**」の意で、次のように活用します。

未然形	連用形	終止形	連体形	已然形	命令形
（なク）	な**ク**	な**シ**	な**キ**	な**ケレ**	○
な**カラ**	な**カリ**	○	な**カル**	○	な**カレ**

右の表の**カタカナ部分は活用語尾**で、**送りがな**になります。

未然形「なク」の形はもともとはありません。

これは、「**水清ければ魚棲まず**」という言い方でことわざのようにもなっていることばです。水があまり清く澄みすぎていると、身を隠す所がないのでかえって魚が棲みつかないということから、「人間も、あまり清廉で潔癖すぎると、人が寄りつかない」という意味に用います。あまりに正しくて立派すぎる人は、たしかに親しめませんよね。

武器を手にするな

◎否定の基本形「非」

否定の基本形の三つめは「**非・匪**」です。

これは、**必ず**「…**ニ**」**から返ってきて**、「…**にあらず**」と読み、否定の意味は「ず」の部分にあります。

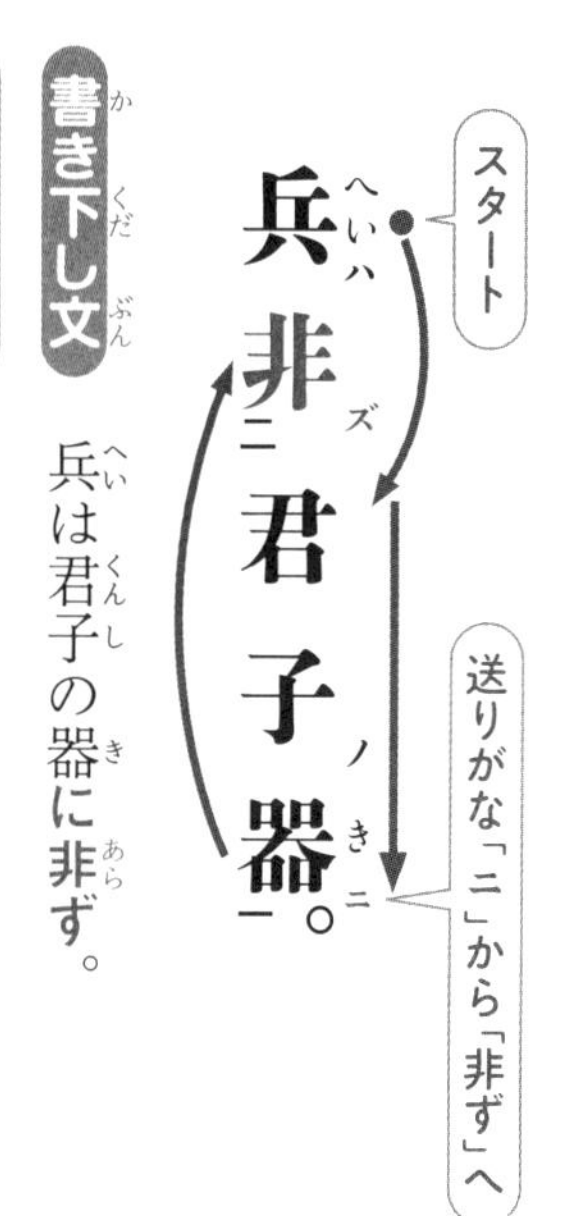

書き下し文　兵は君子の器に非ず。

現代語訳　武器は君子の用いる道具ではない。

「**非・匪**」は、「…**にあらず**」ですが、「にあらず」は、断定の助動詞「なり」の連用形「に」＋ラ変動詞の未然形「あら」＋打消の助動詞「ず」ですから、訳し方は、「…**でない**」「…**ではない**」、あるいは「…**なわけではない**」になります。

「**非**」の読みにあたる「あら」は、自立語ですから、書き下し文にするときは、「非」は漢字のままでOKです。送りがなの「ず」は、古文の打消の助動詞「ず」ですから、ひらがなにします。

「匚（はこがまえ）」の中に「非」がある「**匪**」も、同じく「あらズ」ですが、比較的古い文に使われています。

「**兵**」は、漢文では重要語で、「兵士・兵隊」の意味のほか、「武器・兵器」「軍隊・軍備」「戦争」の意でも用います。

「**兵は凶器なり**」「**兵は不祥の器なり**」といったことばもあります。武器は人を殺したり傷つけたりする不吉な道具であり、戦争も多くの人を損なうものです。誰でもわかることですが、なくならないですね。

腐ったものは治せない

◎不可能の形

不可能の形は、三つあります。「**不**レ**可**レ**A**（Aスベカラず）」「**不**レ**能**レ**A**（Aスルあたハず）」「**不**レ**得**レ**A**（Aスルヲえず）」です。いずれも「…**できない**」という意味です。

スタート

どちらもひらがなに

朽木不レ可レ雕。

書き下し文　朽木は雕るべからず。

現代語訳　腐った木は彫刻できない。

「**不レ可…**」は、活用語の終止形から返ってきて、「…**スベカラず**」です。「べから」も「ず」も助動詞ですから、書き下すときはひらがなにします。

「不可」は、**禁止形**になることもありますから、気をつけましょう。

「**不レ能…**」は、活用語の連体形、あるいはそれに「コト」をつけた形から返ってきて、「…**スル（コト）あたハず**」と読みます。

「**無ニ能…ニ**」という形になると、「**よク…スルモノなシ**」と読んで、「…**することのできるものはない**」という訳し方になります。「**能**」を「**よク**」と読みます。

「**不レ得…**」は、活用語の連体形に「**ヲ**」をつけて返ってきて、「…**スルヲえず**」と読みます。

宰予という弟子が授業に出ず昼寝していたのを見て、**孔子**が言ったことばです。「性根のくさった者は教えてもむだだ」ということを言っているのですが、たかが昼寝くらいでそこまで言わなくても…と思いますよね。ムシのいどころが悪かったんでしょうか。

54 自分がいやなことを人にするな

◎禁止の形

禁止の形は、「**無・莫・勿・毋**」などの、「なシ」の命令形を用いた「…**なカレ**」の形と、不可能形にもあった、「**不レ可レA**（Aスベカラず）」の形とがあります。

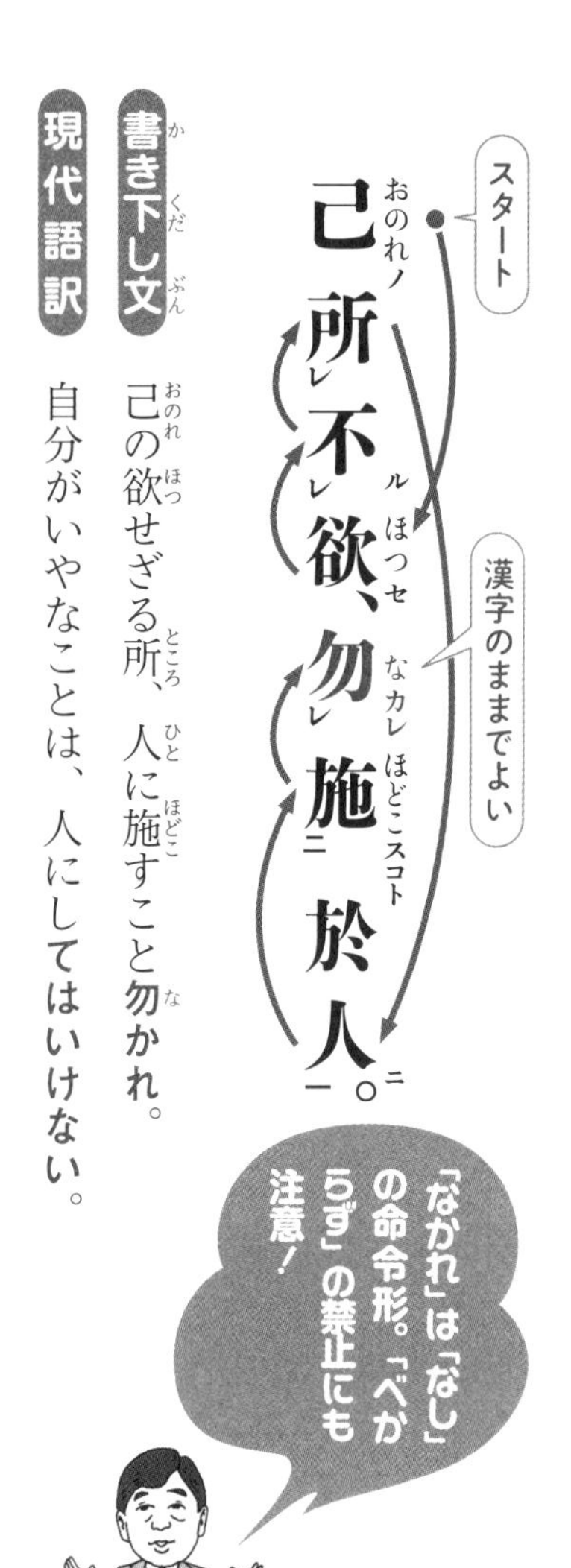

書き下し文

己の欲せざる所、人に施すこと勿**かれ**。

現代語訳

自分がいやなことは、人にしては**いけない**。

「**勿かれ**」は、「**無・莫・毋**」を用いても同じですが、**形容詞「なし」の命令形**で、そのようで「なくあれ」ということです。禁止の度合いの強弱は、話の流れを見なければなりません。「…**するな**」「…**してはいけない**」、あるいは、「…**しないでくれ**」のように懇願するように訳すこともあります。

活用語の連体形（プラス「コト」）から返ってきて、「…**スル（コト）なカレ**」と読みます。

「**不レ可（べカラず）**」は不可能形にもありましたが、禁止の例もあります。

一寸光陰**不レ可**レ軽。（一寸の光陰軽んず**べからず**）

などが、代表的な例です。

弟子の子貢に、「一言で、一生それをモットーにして生きていくのにふさわしいよいことばがありますか」と尋ねられて、**孔子**は、「**其れ恕か**（＝それは「恕」かな）」と答え、続けて言ったのが例文のことばです。「**恕**」は「思いやり」という意味で、「**仁**」よりも少し具体的かつ実践的なことばです。

誰(だれ)も親を愛している

◎二重否定の基本形

二重否定にはいろいろなパターンがありますが、要は、**否定の基本形「不・無・非」の組み合わせ**です。中でも最も用例の多いのが、「無レ不レA（Aセざルハなシ）」という形です。

無(シ)レ不(ざルハ)レ知(ラ)レ愛(スルヲ)ニ其(ノ)親(ヲ)一。

連体形あるいはプラス「ハ」から上へ

書き下し文　其(そ)の親(おや)を愛(あい)するを知(し)らざるは無(な)し。

現代語訳　自分の親を愛することを知らないものはない。

二重否定は、イコール、強い肯定(こうてい)になります。

二重否定の基本形は、次の四つです。

無(シ)レ不(ルハ)レA(セ)（Aセざルハなシ＝Aしないものはない）
無(シ)レ非(ザルハ)レA(ニ)（Aニあらザルハなシ＝Aでないものはない）
非(ズ)レ不(ルニ)レA(セ)（Aセざルニあらズ＝Aしないのではない）
非(ズ)レ無(キニ)レA（Aなキニあらズ＝Aがないのではない）

「**不**」の「…しない」、「**無**」の「…がない。…なものはない」、「**非**」の「…ではない。…なわけではない」の訳し方をそのまま組み合わせれば意味がとれます。

上に「不」があって、下に「無・非」がくる組み合わせはありません。

二重否定は、イコール「強い肯定（こうてい）」になりますから、例文は、「誰（だれ）だって自分の親を愛することは知っている」と訳してもかまいません。

「無不…」の変形でちょっと気をつけたいものがあります。


無(シ)二A(トシテ)不(ルハ)一B(セ)（AトシテBセざルハなシ＝Aで、Bしないものはない）

「無」と「不」にはさまれるAに、送りがな「**トシテ**」がつくことがポイントです。

力不足は努力で補え

◎「ずんばあらず」の二重否定

二重否定には、「不」から「不」へ返るときに「**ずんばあらず**」と読む、特徴的な形があります。代表的なものは、「**不**レ**敢不**レA（あヘテAセずンバアラず）」という形です。

有レ所レ不レ足、不二敢不一レ勉。

「ずんばあらが読みのポイント

書き下し文　足らざる所有れば、敢へて勉めずんばあらず。

現代語訳　足りない所があれば、努力しないわけにはいかない。

「不」から「不」へ返るには、「ずんばあらず」！

「**ずんばあらず**」と読む二重否定は、右の「不二敢不一レA」の形のほかにもいくつかあります。

不二必不一レA（**かならズシモAセずンバアラず**）
［必ずしもAしない（Aでない）ことはない］

未二嘗不一レA（**いまダかつテAセずンバアラず**）
［今まで一度もAしなかったことはない］

ただ、「敢へてAせずんばあらず」が「Aしないわけにはいかない」という型にはまった訳し方をするのに比べると、右の二つは、ほぼ読み方どおりの訳し方になります。

「**ずんばあらず**」なんて読み方は、覚えていなければ出てきません。

もう一つ、「不」から「不可」へ返る形も覚えておきましょう。

不レ可レ不レA（**Aセざルベカラず**）
［Aしなければならない］

今は亡き心の友へ

◎部分否定「復（ま）た」

「不二復Ａ一」（まタＡセず）」は、**部分否定**の形で、「**二度と再びＡしない**」という意味になります。「一度はＡしたが」という前提がある場合もありますが、「今後決してＡしない」という強意の場合もあります。

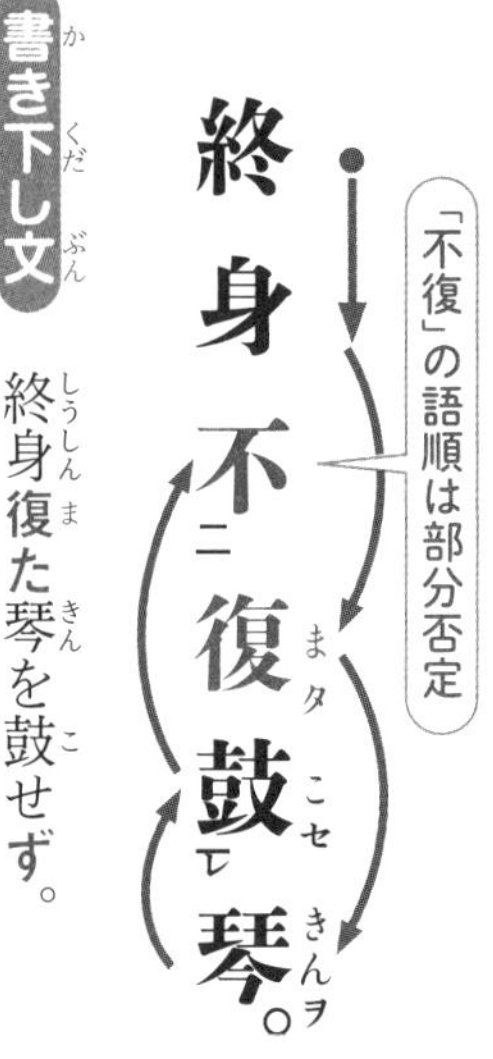

書き下し文　終身（しゅうしん）復（ま）た琴（きん）を鼓（こ）せず。

現代語訳　生涯（しょうがい）**二度と再び**琴（こと）をひかなかった。

「不復…」は部分否定、「復不…」は全部否定です。

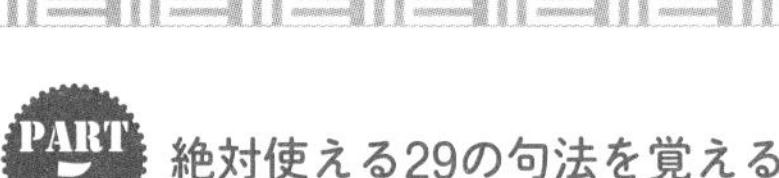

否定語「不」が上にあって、「復た」のような**副詞が下**にある語順になっている形を、「**部分否定**」といいます。

逆に、「復た」が上にあって、下に「不」がある形を「**全部否定**」といいます。

どちらの場合も「**復た…せず**」で、読み方は変わりませんが、全部否定だと、前もそうだったが「**今度もまた…しない**」という意味になります。

大事なのは部分否定の訳し方で、全部否定の形は、文中で見かけることがそもそも稀です。

琴の名手、**伯牙**には、**鍾子期**という友がいました。伯牙が川の流れをイメージして琴をひくと、鍾子期は、「いいねえ、まるで川が流れているようだ」とわかってくれ、高い山々をイメージしてひくと、「まるでそびえたつ高い山々が目に浮かぶようだ」とわかってくれました。

鍾子期が亡くなったあと、伯牙は琴の絃を断って、二度と琴をひきませんでした。二人の友情を「**断琴の交わり**」といいます。

蛍の光 窓の雪

◎部分否定「常には」

「復た…せず」は、部分否定の場合も全部否定の場合も読み方が同じでしたが、ほかの**部分否定**の形では、読み方が違います。代表的なものは、「**不**常A（つねニハAセず）」と「常**不**A（つねニAセず）」です。

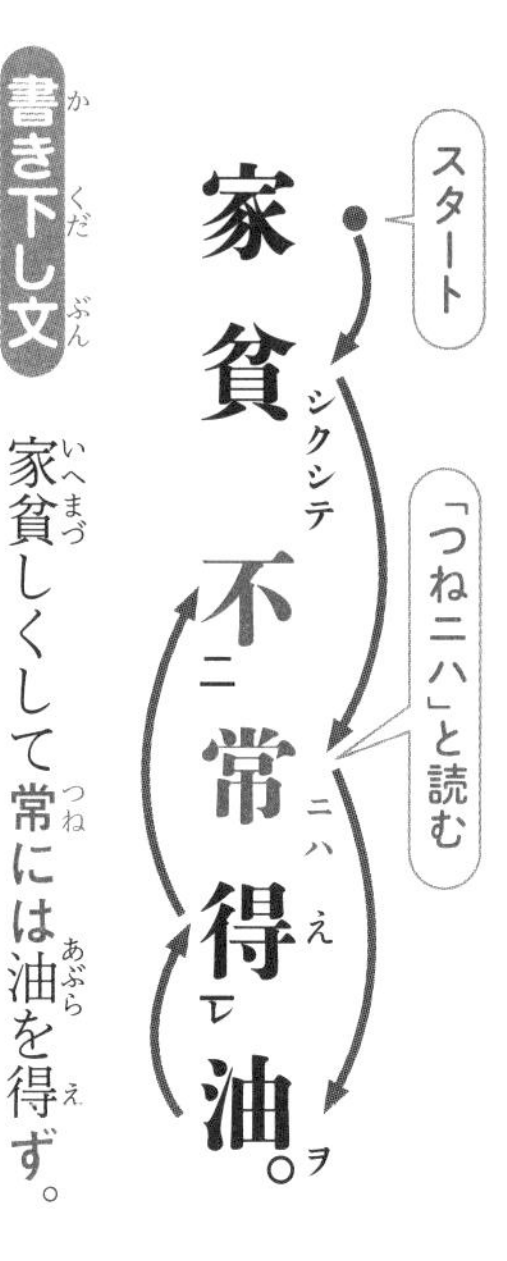

書き下し文 家貧しくして常には油を得ず。

現代語訳 家が貧しくて、いつも油が手に入るとはかぎらなかった。

部分否定の訳し方が大事！ 全部否定が質問されることはありません。

右の例文は、「不」が上にあって、「常」が下にあるので**部分否定**で、「手に入ることもあったが、手に入らないこともあった」ということになります。

「**常不**レ得レ油」の語順だと、「**常に**油を得**ず**」で、「いつも油は手に入らなかった」と**全部否定**になります。

この「常には…ず」のように、「不」が上にあって**部分否定**になる副詞は、「**倶**（とも）**には…ず**」「**必ずしも…ず**」「**甚**（はなは）**だしくは…ず**」「**尽**（ことごと）**くは…ず**」「**再びは…ず**」のように、**全部否定**の場合の、「倶（とも）に…ず」「必ず…ず」「甚（はなは）だ…ず」「尽（ことごと）く…ず」「再び…ず」と読み方が違（ちが）うのがふつうです。

晋（しん）の**車胤**（しゃいん）は、家が貧しくて灯火の油が買えず、夏は袋（ふくろ）に入れたホタルの光で書物を読み、同じく**孫康**（そんこう）は、冬は窓の雪あかりで勉強して、後（のち）に出世したという、「**蛍雪の功**（けいせつのこう）」のお話です。壁（かべ）に穴をあけて、もれてくる隣（となり）の部屋のあかりで書物を読んだとか、苦労して勉学に励（はげ）んだ話は多いですね。

裏切り者に首をやる

◎疑問・反語の「乎(コ)」

疑問形と**反語形**は、さまざまな疑問詞を用いる形があり、見かけ上、同じ形のものも多いのですが、最も基本的なのが、疑問詞を用いず、**文末で「や・か」**と読む「**乎・也・哉・与・邪・耶・歟**」を用いる形です。

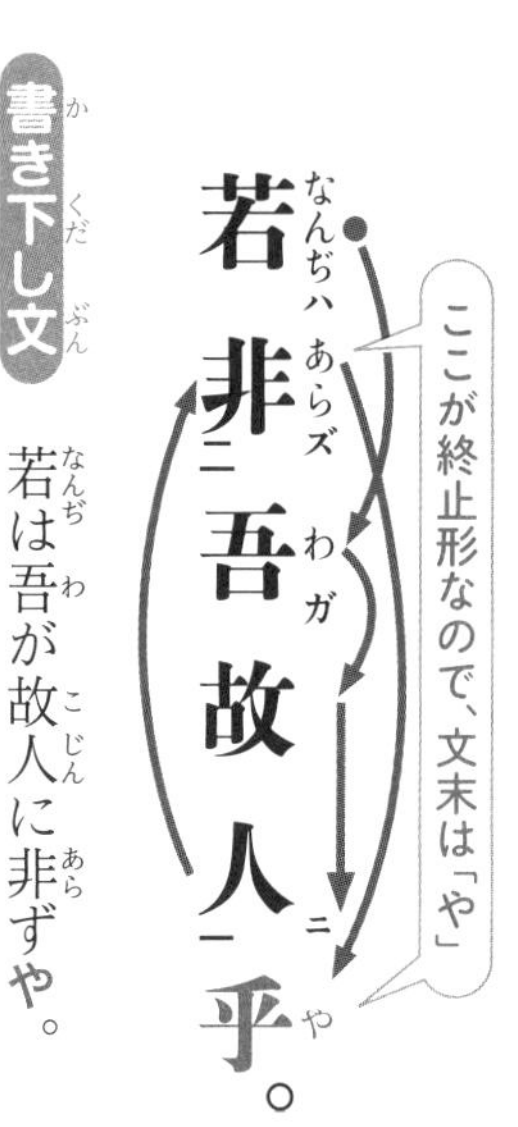

書き下し文(かきくだしぶん) 若(なんぢ)は吾(わ)が故人(こじん)に非(あら)ずや。

現代語訳 おまえは私の昔なじみではないか。

「終止形＋や」「連体形・体言＋か」は疑問、「…ンや」は反語です。

文末の「乎・也・哉・与・邪・耶・歟」のポイントは、「**や**」と読むか、「**か**」と読むかです。次のような原則があります。

疑問の場合……{**活用語の終止形→「や」**
連体形・体言　→「か」}

反語の場合……**未然形＋「ン」→「や」**

右の例文は**疑問**ですが、「非ず」の「ず」が終止形ですから「非ず**や**」で、「非ざる」と連体形に読めば、「非ざる**か**」になります。

「故人に非ざら**んや**」と読むと**反語**になり、「昔なじみでないだろうか、いや昔なじみだ」という意味になります。

項羽が、自分を取り囲んだ敵の漢の兵の中に、かつての部下であった呂馬童の顔を見かけて言ったことばです。呂馬童は顔をそむけますが、項羽は、自分の首にかかっていた莫大な賞金を、どうせならおまえにくれてやると叫んで、自ら首をはねて自決しました。

60 牛をケチったりはしない

◎疑問・反語の「何」

文頭に疑問詞を用いる疑問・反語形で、最も典型的なものは、「**何ぞ**」です。文末の「乎・也・哉」などがセットになっている場合、読みは必ず「や」ですが、文末の「乎」などは省略されることもあります。

吾何愛二一牛一。

スタート
「ン」があるから反語
「乎」は省略

書き下し文
吾何ぞ一牛を愛しまん。

現代語訳
私はどうして一頭の牛を惜しんだりするだろうか。

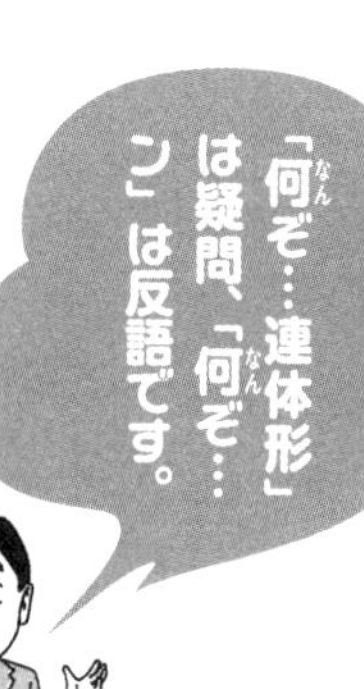

「何ぞ…連体形」は疑問、「何ぞ…ン」は反語です。

「**何ぞ**（なん）」は、**疑問**であれば「**どうして…（の）か**」、**反語**であれば「**どうして…だろうか、いや…ない**」と訳します。右の例文は反語形です。

「**なんゾ**」は、「**何**」のほかに「**胡・奚・庸・曷・何遽**」も用います。

疑問であるか、**反語**であるかは、文末がポイントです。

何ぞ（なん）……**連体形**＋（や）　**↓疑問**
何ぞ（なん）……**未然形＋ン**＋（や）**↓反語**

文末の「**乎・也・哉・与・耶・邪・歟**」は、右の例文のように省略されていることがありますが、省略されていても、「愛しまん**や**」（を）のように、送りがなで読むことがあります。

犠牲（ぎせい）（いけにえ）になる牛を不憫（ふびん）に思って、羊に代えさせた王を、領民が「王様は牛が惜（お）しくて羊にした」とうわさしたことについて**孟子**（もうし）がたずねたときに、王が言ったことばで、王は「ただ、かわいそうに思ったからだ」と続けます。殺されてかわいそうな点では、牛も羊も同じなんですけどね。

61

大人物の志はわかるまい

◎疑問・反語の「安」

文頭に疑問詞を用いる疑問・反語形で、もう一つ典型的なのは「**安くんぞ**」です。文末の「**乎・也・哉**」などは、やはり省略されることがあります。

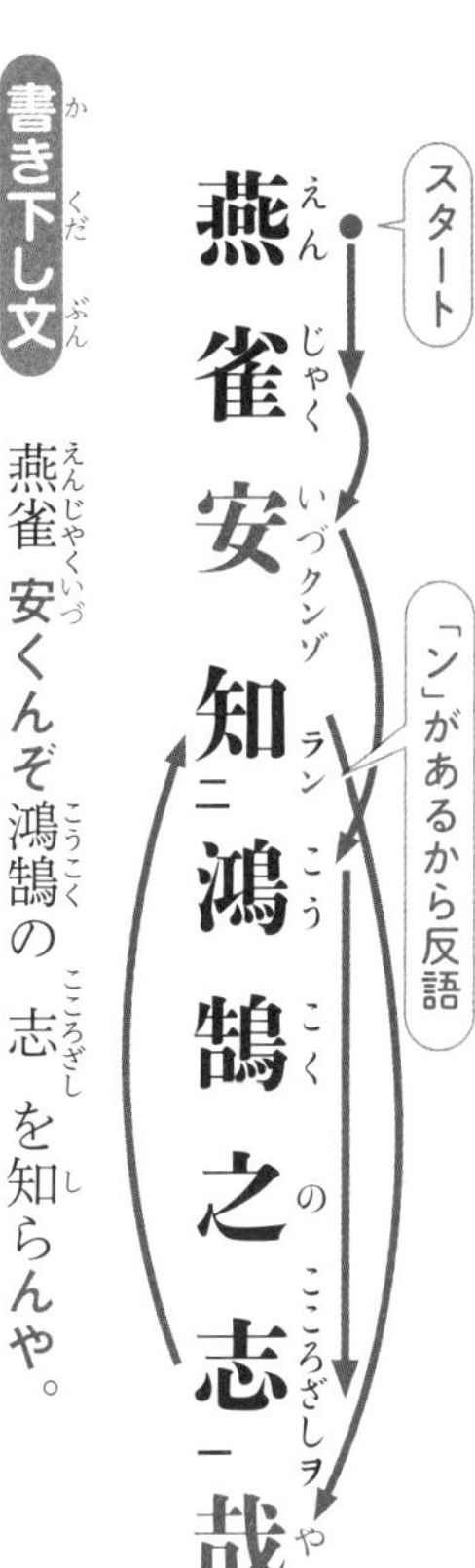

書き下し文

燕雀安くんぞ鴻鵠の志を知らんや。

現代語訳

燕や雀のような小さな鳥にどうして鴻や鵠のような大きな鳥の志がわかるだろうか。

「**安くんぞ**」も「**何ぞ**」と同じく、**疑問**であれば「**どうして…（の）か**」、**反語**であれば「**どうして…だろうか、いや…ない**」と訳します。右の例文は反語形です。

「**いづクンゾ**」は、ほかに「**寧・焉・悪・烏**」も用います。

疑問であるか、**反語**であるかは、やはり文末がポイントです。

安くんぞ……連体形＋（や）**→疑問**
安くんぞ……未然形＋ン＋（や）**→反語**

これは、そのほかの疑問詞、「**安くにか**（どこに…）」「**誰**（**孰**）**か**（誰が…）」「**孰れか**（どちらが…）」などの場合でも同じです。

秦の始皇帝が亡くなった後、秦打倒の反乱の火つけ役になった、陳勝呉広の乱の首領、**陳勝**の有名なことばです。「小人物には大人物の志はわかるまい」という意味です。

「安くんぞ…連体形」は疑問、「安くんぞ…ん」は反語です。

父母の恩は決して忘れない

◎反語形「豈に」

疑問・反語形のベスト3は、「**何ぞ**」「**安くんぞ**」と「**豈に**」です。

「何」「安」は、文末の読み方によって、疑問にも反語にもなりますが、「豈に」は、原則、**反語**です。

「ン」があるから反語

豈忘二父母之恩一哉。

書き下し文 豈に父母の恩を忘れんや。

現代語訳 どうして父母の恩を忘れたりしようか、いや忘れたりはしない。

「豈A哉（あニAセンや）」は、**反語形**で、「**どうしてAする（Aである）だろうか、いやAしない（Aではない）**」という意味です。

反語形を訳す場合、「いや…ない」の部分は、必ずしも答える必要はありません。また、右の例文を、「父母の恩を決して忘れたりはしない」のように、「いや…ない」の「…ない」の側を答えてもかまいません。

疑問形と反語形は、共通した形がほとんどですが、次の形は疑問にはならず、**反語形**と見てOKです。

独リA哉センや（**ひとりAセンや**）
［どうしてAしようか、いやAしない。］

不ニ敢ヘテA乎ランセ（**あへてAせざランや**）
［どうしてAしないだろうか、いやAする。］

ただ、「豈あに」は、**詠嘆形えいたんけい**（173ページ）になるケースがありますから、ちょっと気をつけましょう。

63 おまえをどうしたらいいのか

疑問・反語形には、違（ちが）いに気をつけたい、「如何（いかん）」と「何如（いかん）」という形があります。「**如何**（いかん）（**奈何**（いかん）・**若何**（いかん））」は疑問にも反語にも用いますが、「**何如**（いかん）（**何若**（いかん））」は疑問にのみ用います。

スタート

読まない置き字

「奈何」で「いかんセン」

虞ヤ兮 虞ヤ兮 奈レ若（なんぢヲ） 何（セン）。

書き下し文（かきくだしぶん）　虞（ぐ）や虞（ぐ）や、若（なんぢ）を奈何（いかん）せん。

現代語訳　虞（ぐ）よ虞（ぐ）よ、おまえをどうしたらよいのだろうか。

「如何（いかん）せん」は方法・手段、「何如（いかん）」は状況（じょうきょう）・事の是（ぜ）非（ひ）を問います。

「如何」と「何如」には、次のような原則があります。

「**如何**」は「**いかんセン**」と読み、「**どうしたらよいか**」と、**方法・手段を問います**。「**どうしようもない**」と反語になることもあります。右の例文のように、「**奈何**」もよく用います。

目的語をとる場合、やはり、右の例文のように二字の間に入れて、

如レ A 何ヲセン　**(Aヲいかんセン＝Aをどうしたらよいか)**

のような形になります。

「**何如**」は、文末で「…(ハ)**いかん**」と読み、「…**はどうであるか**」と、**状況・状態・事の是非を問い**、こちらは疑問のみです。

右の例は、99ページでも紹介した、**四面楚歌**の場面で、**項羽**が愛妃、**虞美人**を歌った一句ですが、ここは、「もはやどうしてやることもできない」という反語の意ととるほうがいいでしょう。虞美人が死んだ後、塚に生えた赤い花を、虞美人草といいます。ひなげしのことです。

64

虎の威を借るキツネ

◎使役の公式

使役形の中でも、「A使ニBC一（ABヲシテCセしム）」という形は重要で、**使役の公式**と呼ばれます。「使（しム）」の直下の**使役の対象**に「**ヲシテ**」という**送りがなかつく**ことがポイントです。「使」は**返読文字**です。

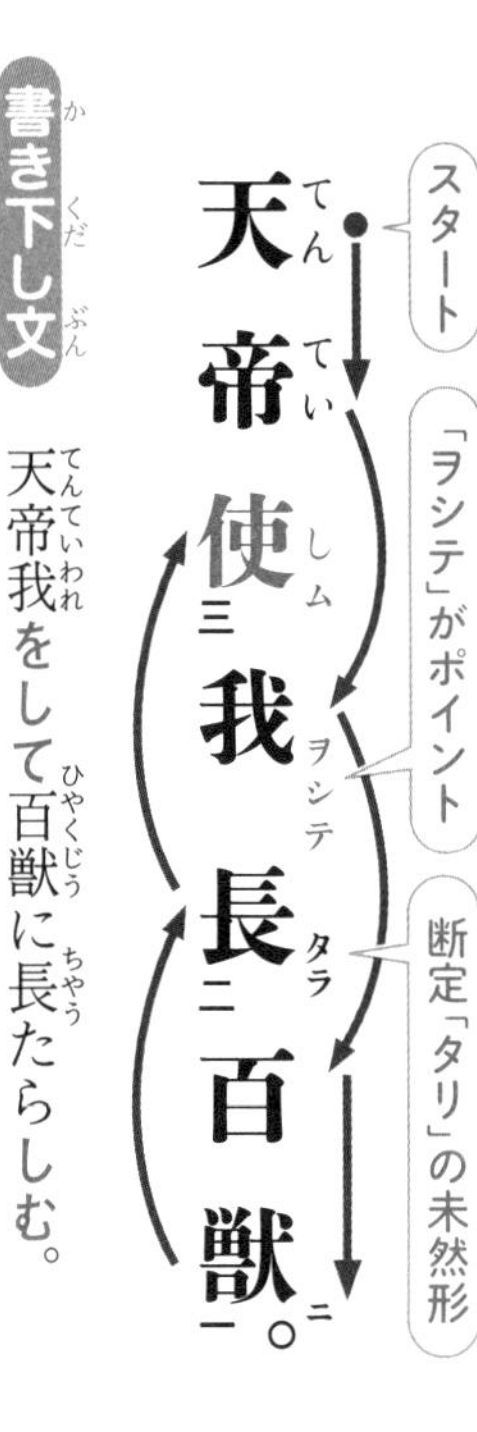

書き下し文 天帝我をして百獣に長たらしむ。

現代語訳 天の神様は私に百獣の王をさせているのだ。

使役の公式は入試漢文ナンバーワンの頻出句法です！

「**しム**」は、「**使**」以外にも「**令・遣・教・俾**」なども用います。

使役の助動詞「**しむ**」は、**未然形に接続**し、次のように活用します。

未然形	連用形	終止形	連体形	已然形	命令形
しメ	しメ	しム	しムル	しムレ	しメヨ

二音めからの「**メ・メ・ム・ムル・ムレ・メヨ**」**は送りがな**になります。

公式「ABをしてCせしむ」の、**Aは主語**ですが、「使」の直前にはないことも、省略されていることもあります。**Bは使役の対象**（誰にやらせるか）、**Cは使役の内容**（何をやらせるか）です。「長たらしむ」の「**たら**」は、「長」という体言からは「しむ」へ返れないので、接着剤として用いた**断定の助動詞**です。

この例文は、虎につかまったキツネが、自分を食べてはいけないと虎に言ったことば。「**虎の威を借る狐**」は、たいした力もないくせに、有力者の権勢をかさに着ていばる、つまらぬ人間という意味に用います。

無能なやつを殺せ

◎もう一つの使役形

使役形には、公式タイプ以外に、もう一つ形があります。「**命・召・勧・遣・説・挙**」などを、「使」のように返読して「しむ」と読まず、そのまま動詞の読み方をして、**使役の内容に「シム」をつける形**です。

命ジテ二豎子ニ一、殺シテレ雁ヲ、烹ニシムレ之ヲ。

ふつうに動詞として読む

送りがなで「シム」をつける

書き下し文　豎子に命じて、雁を殺して、之を烹しむ。

現代語訳　童僕（召使いの少年）に命じて、雁を殺して、料理させた。

「…に…して…させる」の使役形が質問されることは少ない！

「**竪子**」は、「**孺子**」も同じで、基本的には「子供・幼児」の意ですが、相手を見下げて、「小僧・青二才」の意でも用い、あるいは例文のように「童僕」の意でも用いる、重要語です。

右のようになる使役形には、ほかに次のようなものがあります。

召レシテ**A**ヲ**B**セシム　（**AヲめシテBセシム**）

勧メテ**A**ニ**B**セシム　（**AニすすメテBセシム**）

遣ハシテ**A**ヲ**B**セシム　（**AヲつかハシテBセシム**）

説キテ**A**ニ**B**セシム　（**AニとキテBセシム**）

荘子がある日、旧友を訪ねたとき、友人は喜んで、童僕に命じて雁を殺して料理させました。童僕が、「鳴けるのと鳴けないののどっちを殺しますか」と聞くと、主人は、「鳴けないやつを殺せ」と言いました。64ページでは、無用ゆえに天寿を全うできた大木の話をしましたが、こちらの雁は、無能ゆえに殺されました。なかなか難しいですね。

人をだます者はだまされる

○受身の公式

使役の公式と並んで重要な、**受身の公式**があります。「**A為二B所一レC**（AB ノCスルところトなル）」という形で、「**AはBにCされる**」という意味になります。

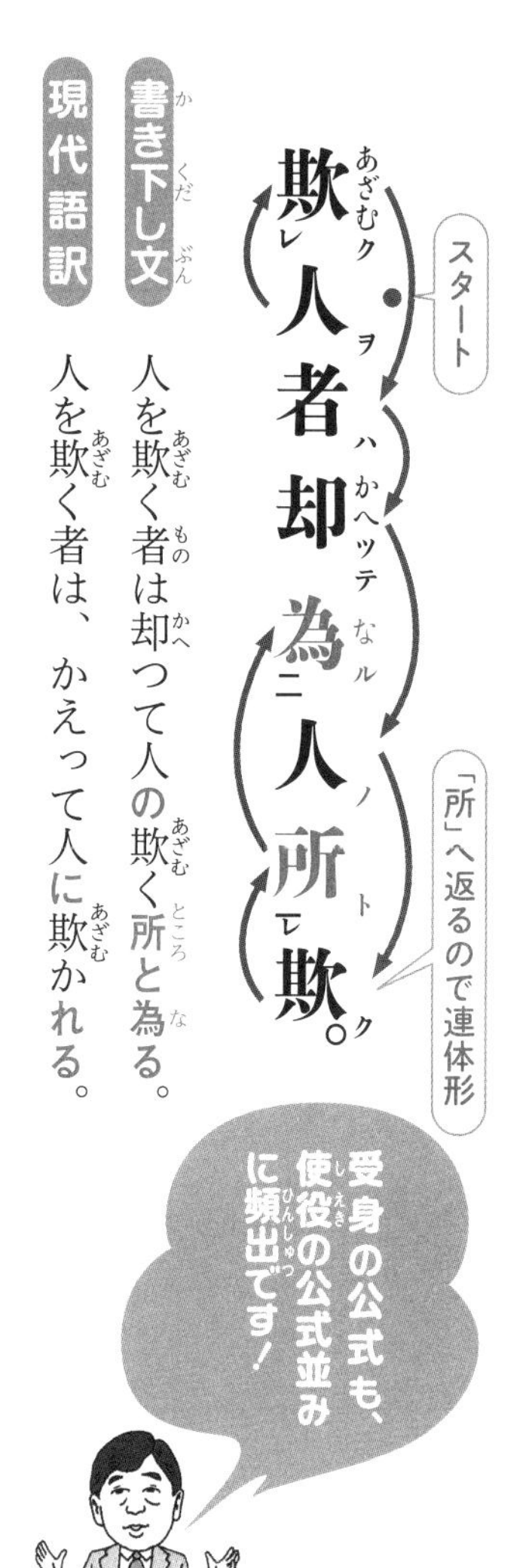

書き下し文 人を欺く者は却つて人の欺く所と為る。

現代語訳 人を欺く者は、かえって人に欺かれる。

この**受身の公式**は、使役の公式「ＡＢヲシテＣセしム」と並んで、大学入試問題でもたいへんよく出題されます。二〇一二年度のセンター試験では、この型がわかっていればイッパツで答えが出る問題が出たこともあります。

「…**為**…**所**…」という形ですぐにわかるようにしましょう。

右の例文では、「人を欺く者」がＡ（**主語**）で、「人」がＢ（**受身の対象**＝誰にそうされるか）、「欺く」がＣ（**受身の内容**＝何をされるか）です。

「却つて」は、「反対に」の意の副詞で、「欺く所と為る」を修飾しています。

この公式の形には、次のような有名な例文もあります。

先則制人、後則為人所制。

前半が「**先んずれば人を制す**」ということわざになっていますが、「後れをとると人におさえられる」と、後半に受身の公式があります。先手をとりたいものですが、「人を欺く」ようなやり方での先手は慎みたいものです。

67

できない自分を恥じよ

◎受身の「る・らる」

受身形にはもう一つ、たいへん重要な形があります。「**見・為・被・所**」などを活用語の**未然形から返読**して、古文の**受身の助動詞**「**る・らる**」と**読む**形です。

スタート

君子恥レ不レ能、不レ恥レ不レ見レ用。

下が上二段動詞なので「らる」

「見・為・被・所」は、受身の「る・らる」です！

書き下し文　君子は能はざるを恥ぢ、用ひられざるを恥ぢず。

現代語訳　君子はできないことを恥じ、用いられないことを恥じない。

受身の助動詞「る・らる」は、次のように活用します。

未然形	連用形	終止形	連体形	已然形	命令形
れ	れ	る	る**ル**	る**レ**	れ**ヨ**
ら**レ**	ら**レ**	ら**ル**	ら**ルル**	ら**ルレ**	ら**レヨ**

二音めからの**カタカナ部分が送りがな**になります。

「る」と読むか「らル」と読むかは、何活用の動詞から返読（へんどく）しているかです。

る　…　**四段**・ナ変・ラ変の**未然形に**接続。
らる　…　**その他の動詞**の**未然形**に接続。

漢文はナ変の「死ぬ・往（い）ぬ」は用いません。「死ぬ」はサ変動詞「死す」を用います。また、ラ変も「侍（はべ）り・いまそかり」は漢文にはありませんし、「あり・をり」は受身になりませんから、「る」と読むのは四段の場合です。

登用（とうよう）されるかどうかより、自分に力があるかどうかが大事ということです。

百回聞くより一度見よ

◎比較形「しかず」

比較形にはいろいろな形がありますが、いちばん重要なのは、比較の公式ともいえる、「A不レ如レB（AハBニしカず）」の形です。「如く」は「及ぶ」という意味の動詞です。

スタート

百聞不レ如二一見一。

「しク」は「及ぶ」の意

書き下し文 百聞は一見に如かず。

現代語訳 百回聞くことは一回見ることには及ばない。

「**A不レ如レB**（AハBニしカず）」は、直訳すれば、「**AはBには及ばない**」ですが、AとBとを比べて、「**AよりもBのほうがよい**」ということを言っています。例文も、「人から百回聞くよりも、一度自分の目で見るほうが確かだ」のように訳してもいいですね。

「如」のかわりに「若」を用いて、「**A不レ若レB**」のようになっていることもあります。

「**如**」と「**若**」は、**比較形の「しク」**という読み方以外にも、**仮定形の「もシ」**（158ページ）や、**比況形の「ごとシ」**（170ページ）など、共通する用法がいくつかあります。

漢の武帝の時代、老将の**趙充国**が、前線から届く戦況報告では時間がかかりすぎて、正確な実情をつかめないと悩み、自分を前線に行かせてほしいと願い出て言ったことばです。

ことわざのようになって、今日でも一般的に広く使われています。

自分の命がいちばん大事

◎比較形（ひかくけい）「しくはなし」

比較形（ひかくけい）にはもう一つの公式、「**A無レ如レB**（AハBニしクハなシ）」という形がありますｃ「**A不レ如レB**」と似ていますが、こちらは、AとBを比べているのではありません。

人之所レ急（ハ きふニスル） 無レ如二（シ しクハ） 其（そノ） 身一（ニ）。

書き下し文（かきくだしぶん）
人（ひと）の急（きふ）にする所（ところ）は其（そ）の身（み）に如（し）くは無（な）し。

現代語訳
人が大切にするものに関しては、自身にまさるものはない。

「**A無レ如レB**(AハBニしクハなシ)」は、「**Aに関してはBにまさるものはない**」「**Aに関してはBがいちばんだ**」という意味です。

AとBとを比べているのではなく、最上級の表現です。

「**無**」は「**莫**」を用いることもありますし、「**如**」は「**若**」を用いることもあります。

「**急**」はちょっと大事な語で、「速い」「急ぐ・せかす」「狭(せま)い」「かたくな」「きびしい」「けわしい・傾斜(けいしゃ)が強い」などの、ふつうに連想できる意味のほか、「切迫(せっぱく)して猶予(ゆうよ)できない・さしせまって大切である」の意があります。

「**不死(ふし)の道**(人を不死にする方法)」を売り込(こ)みにきた男が、死んでしまいます。王は、その男に「不死(ふし)の道」を習いに行かせた家来の習得が遅(おそ)かったために「不死の道」がわからなくなったと咎(とが)めたのですが、そのとき、ある人物が王を諫(いさ)めて言ったのが、このことばです。

人は誰しも自分の命がいちばん大事だ、自分の命を「不死(ふし)」にできなかった者が、人を「不死(ふし)」にすることなどできるわけがない、ということです。

70

牛の尻(しり)にはなるな

◎AかBかの選択形(せんたくけい)

AとBとを比べて、どちらかをとる、**選択形**(せんたくけい)があります。

「寧A無レB（むしロAストモBスルなカレ）」はAのほうを、「与レA寧B（AよりハむしロBセヨ）」はBのほうをとる形です。

スタート

こちらをとる

寧(むしロ)**為**(なルトモ)ニ**鶏口**(ト)ニ**無**(カレ)レ**為**(ル)ニ**牛後**(ぎうごト)ニ。

書き下し文(かきくだしぶん)　寧(むし)ろ鶏口(けいこう)と為(な)るとも、牛後(ぎうご)と為(な)る無(な)かれ。

現代語訳　むしろ鶏(にわとり)のくちばしになっても、牛の尻(しり)にはなるな。

「寧（むしろ）」「与（より）」が読めればOKです！

「**寧A無レB**（むしロAストモBスルなカレ・Bスルコトなカレ）」は、「**むしろAしてもBするな**」ですが、後半が禁止形ではなく、「**寧A不レB**（むしロAストモBセず）」で、「**むしろAしてもBはしない**」という形になることもあります。いずれにしても、**Aのほうをとる**表現です。

「**与レA寧B**（AよりハむしロBセヨ・Bセン）」は、「**AするよりはむしろBせよ・Bしよう**」の意、「**与レA不レ如レB**（AよりハBニしカず）」は、「**AするよりはBするほうがよい**」の意で、**Bのほうをとる**表現です。

ただ、これらは、「**寧**（**むしロ**）」「**与**（**より**）」が読めて、「**無**（**なカレ**）」や「**不如**（**しカず**）」の意味がわかればOKでしょう。

戦国時代、強国の秦に対抗するための、燕・趙・韓・魏・斉・楚の六国同盟を説いた遊説家、**蘇秦**のことばです。「鶏口」は一国の王、「牛後」が大国の臣で、小さくても一国の王であるほうが、大国の臣になるよりいいではないか、と同盟を勧めているわけです。

二度と戻らない覚悟

◎仮定形のいろいろ

仮定を表す形はいろいろあります。

「如・若（もシ）」「苟（いやシクモ）」「縦（たとヒ）」「雖ㇾA（Aトいへどモ）」などですが、いずれも**読めればOK**です。

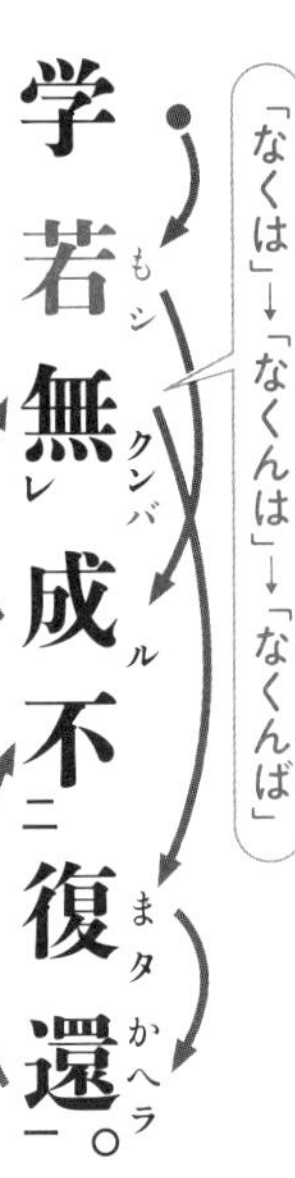

書き下し文 学若し成る無くんば、復た還らず。

現代語訳 学問がもし成就しなかったなら、二度と故郷へは帰らない。

「**もシ**」は、「**若**」か「**如**」を用いるのが基本ですが、「**使・令・向・尚・倘・当・則・即・脱・誠・設・仮如・如使**」なども「もシ」と読むことがあります。原則として「**未然形＋バ**」**と呼応**しますが、**漢文では**、「**未然形＋バ**」「**已然形＋バ**」**の区別はそれほど厳密ではありません。**

例文の「無くんば」は、「無し」の連用形「無く」に、係助詞「は」がついて、間に撥音「ん」が入り、「は」が濁音化したものです。

「**苟**（**いやシクモ**）」も、「**未然形＋バ**」**と呼応**して、「**かりにも…ならば**」と訳します。

「**縦**（**たとヒ**）」は、ほかに「**仮令・縦令・縦使**」も用います。「**終止形＋トモ**」あるいは「**連体形＋モ**」**と呼応**して、「**たとえ…であっても**」と訳します。

「**雖**（**いへどモ**）」は**返読文字**で、「…トいへどモ」と、**必ず**「**ト**」**から返ります。**「…**とはいっても**」「**たとえ…であっても**」と**逆接仮定条件**になりますが、「…**だけれども**」と、**逆接確定条件**になることもあります。

百歩じゃないだけだ！

◎「ただ」と「のみ」

限定の形は、文（句）頭の「**唯・惟・直・但・徒・特**」などを「**ただ**（ニ）」と読む形と、文末の「**耳・已・爾・而已・而已矣**」などを「**のみ**」と読む形があります。

直(タダ)不(ざル)二百歩一(ナラ)耳(のみ)。

「のみ」へは連体形から

「ず」へ返るための接着剤

書き下し文 直だ百歩ならざるのみ。

現代語訳 ただ百歩でないというだけだ。

「ただ」と「のみ」が読めればOKです！

「**たダ**」あるいは「**たダニ**」と読む字は、「**唯・惟・直・但・只・徒・特・祇・止**」など、たくさんあります。「のみ」と読む「耳」などが文末にない場合は、「ただ」がかかっていく語の**送りがなに**「**ノミ**」をつけて読むことがあります。

「たダ」のかわりに、「**独**（**ひとり**）」を用いる形も、意味は同じです。

「**のみ**」と読む字は、一字では「**耳・已・爾**」ですが、置き字を組み合わせた「**而已・而已矣・也已・也已矣**」で「のみ」と読む形もあります。

「…（な）だけだ」という**限定**の意味ですが、**強調**程度のこともあります。

有名な「**五十歩百歩**」の故事です。戦場で逃げた兵がいたことについて、「五十歩逃げて止まった者が、百歩逃げた者を臆病だと笑ったとしたら、どうでしょうか」と、孟子に問われた王様が言ったことばです。「**どっちもどっち**」、どちらもよくない意味に使います。「**どんぐりの背くらべ**」「**目くそ鼻くそを笑う**」も同じような意味です。

73 私を買ってみなさい

◎抑揚形「況(いは)んや」

「A且B、況C乎（AスラかツB、いはンヤCヲや）」という、いかにも漢文らしい口調の形があり、**抑揚形**(よくようけい)といいます。

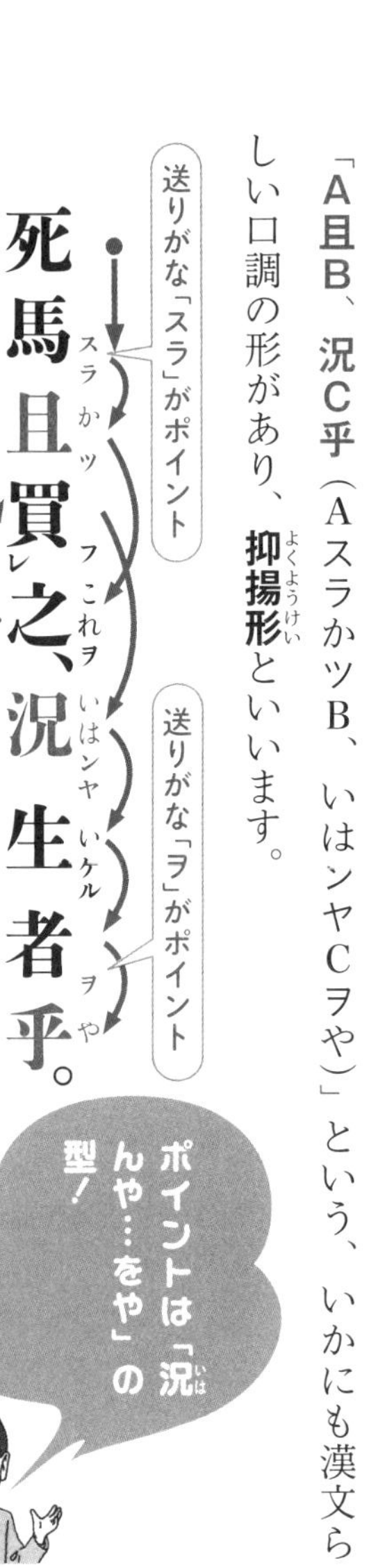

死馬且(スラ)(かツ)買(フ)レ之(これヲ)、況(いはンヤ)生(いケル)者(ヲ)乎(や)。

書き下し文(かきくだしぶん)　死馬(しば)すら且(か)つ之(これ)を買(か)ふ、況(いは)んや生(い)ける者(もの)をや。

現代語訳　死んだ馬でさえ買ったのだから、まして生きている名馬であればなおさら（高く）買ってくれると（馬の持ち主は）思うだろう。

「**Aスラ且ツB、況ンヤCヲや**」の「**スラ**」は、古文の類推・強調の副助詞で、「…でさえ」の意。「**且（かツ）**」のかわりに、「**猶・尚（なホ）**」を用いることもあります。「**AでさえBなのだから、ましてCであればなおさらBだ**」と、**Bの位置にあるものを強調**します。

「況…乎」のかわりに、**後半に**、「**安クンゾ…ンや**」（138ページ）**などの反語形**がくることもありますが、言いたいことは同じです。

燕の昭王が、**郭隗**に、有能な人材を探してほしいと相談したとき、郭隗は、「昔、ある国の王が、家来に千金をもたせて千里の馬（駿馬）を買いに行かせたのに、家来は死んだ馬の骨を五百金で買って帰りました。王は当然怒りましたが、家来は、大丈夫です、王様、千里の馬はむこうから売り込みにまいりますと答えました」という話をした後、「王様、人材をお求めなら、まず私から買ってみてください」と言った、「**先ず隗より始めよ**」という話です。自分レベルの者が優遇されれば、もっと優れた人材は自分から売り込みにくる、ということです。

晩年を過ごすのによい土地

◎否定＋限定の累加形

抑揚形に似た、**累加形**という形があります。「**ただ…なだけでなく、そのうえ…だ**」のように**累ね加える表現**で、二つのパターンがあります。まず、「否定＋限定」のパターンです。

不唯忘帰 可以終老。

書き下し文

唯だに帰るを忘るるのみならず、以て老を終ふべし。

現代語訳

ただ都に帰るのを忘れるだけでなく、そのうえここは晩年を過ごすのにふさわしいよい土地だ。

「**不・非**」の否定形と、「**唯・独**」の限定を組み合わせた「**否定＋限定」の累加形**（るいかけい）には、次のような形があります。

不二唯A一B（**たダニAノミナラず、B**）

不二独A一B（**ひとリAノミナラず、B**）

非二唯A一B（**たダニAノミニあらズ、B**）

非二独A一B（**ひとリAノミニあらズ、B**）

いずれも「**ただAなだけでなく、そのうえBだ**」という意味です。

「**たダニ**」は、限定の「たダ」に用いる「**惟・直・但・徒・特**」なども用います。

白居易（はくきょい）は、四十代半ばのころ、南方の江州（こうしゅう）（現在の江西省九江市（こうせいしょうきゅうこうし））に左遷（させん）されました。白居易（はくきょい）はこの地を気に入り、香炉峰（こうろほう）のふもとに草堂（そうどう）を建てて、日々（ひび）をのんびりと過ごしました。官界に復帰して長安の都に帰りたいなどという思いを忘れるだけでなく、このまま晩年を過ごすにもよい土地だと言っています。はたして、本音（ほんね）かどうかはわかりませんが。

公僕がそれでいいのか

◎反語＋限定の累加形

累加形のもう一つは、「**反語＋限定**」**のパターン**です。「豈ニ（何ゾ）…ンヤ」と「ただニ（ひとリ）…ノミ」を組み合わせた形です。

豈唯怠レ之、又従而盗レ之。

書き下し文

豈に唯だに之を怠るのみならんや、又従ひて之を盗む。

現代語訳

どうしてただ怠けているだけであろうか、それだけでなくさらに盗んでもいるのだ。

「反語＋限定」の累加形には、次のような形があります。

豈唯A B（あニただダニAノミナランヤ、B）
豈独A B（あニひとリAノミナランヤ、B）
何唯A B（なんゾただダニAノミナランヤ、B）
何独A B（なんゾひとリAノミナランヤ、B）

いずれも、「**どうしてただAなだけであろうか、いや、ただAなだけでなく、そのうえBだ**」という意味です。

「**ただダニ**」は、やはりいろいろな字を用います。

柳宗元の、「薛存義の任に之くを送る序」という有名な文章の一節です。

役人というのは「公僕」のはずなのに、人民に対していばったり、仕事をサボったり、ワイロで私腹を肥やしたりする者がいる。つまり、雇い主である人民のための仕事を怠っているだけでなく、人民から盗んでさえいるありさまだ、これでいいのかと言っているわけです。

「否定＋限定」も「反語＋限定」も、言いたいことは同じです。

私は逃げたりはしない

◎願望形のいろいろ

願望形は、文（句）頭で、「**願はくは**」「**請ふ**」「**冀はくは**」と始める三つのパターンがありますが、ポイントは、**文末が、意志の「ン」か、活用語の命令形か**という点です。

願ハクハ大王急ギ渡レ。

書き下し文　願はくは大王急ぎ渡れ。

現代語訳　どうか大王様。急いで川を渡ってください。

願望形は、**文末が「ン」**であれば、**自己の願望**で、「**どうか…させてください**」「**なんとかして…したい**」の意、**文末が命令形**であれば、**相手への願望**で、「**どうか…してください**」の意になります。

願ハクハ
請フ
冀ハクハ
↓
ン…**自己の願望**
命令形…**相手への願望**

「**願はくは**」は「**幸**」、「**請ふ**」は「**乞**」、「**冀はくは**」は「**庶・庶幾・幾**」を用いることもあります。

劉邦の漢軍に敗れ、わずかな兵をつれて、故郷の楚に逃れるために、長江の渡し場まで逃れてきた**項羽**（大王）に、舟を用意してくれた宿場の長が言ったことばです。しかし、項羽は、これは天命であると言って、英雄らしい最期をとげる決心を伝えて死地に赴きます。故郷に戻れば、もう一度、捲土重来を期すこともできたかもしれないのに、情にほだされてかっこつけてしまいましたね。

77

ベタベタつきあうな

◎比況形の「ごとし」

比況形は、**返読文字**「如・若」を、古文の**比況の助動詞**「**ごとし**」と読む形のみです。**名詞（体言）から返る場合は**「**…ノごとシ**」、**活用語の連体形から返る場合は**「**…（スル）ガごとシ**」になります。

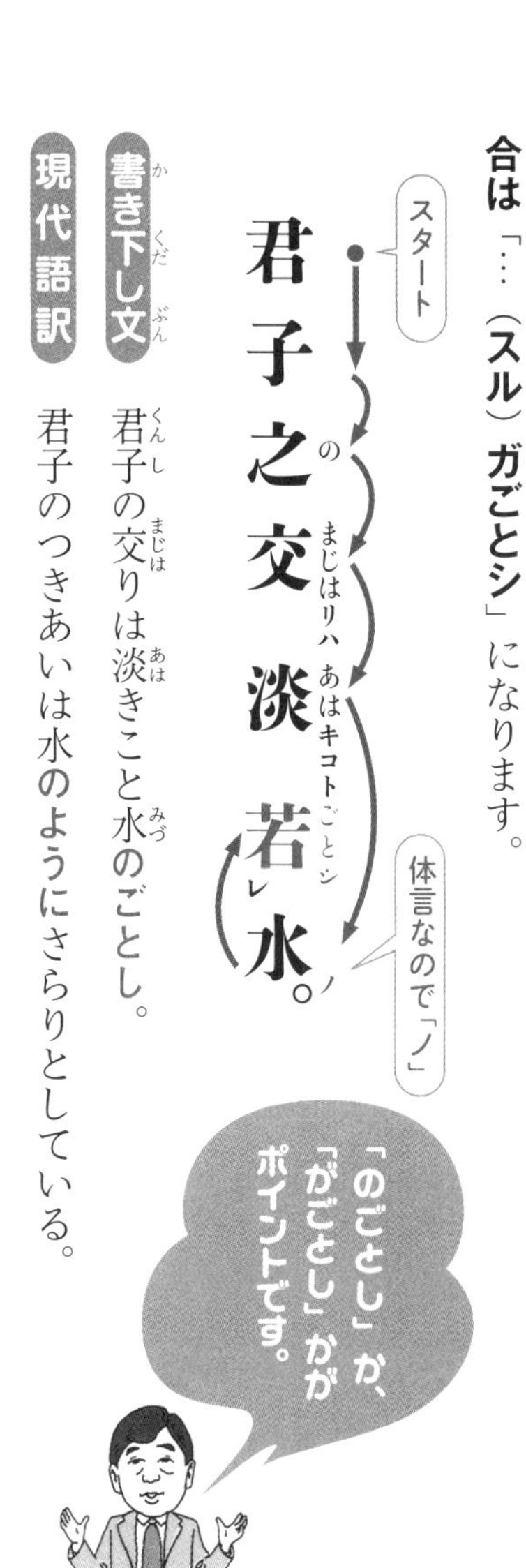

書き下し文　君子の交りは淡きこと水のごとし。

現代語訳　君子のつきあいは水のようにさらりとしている。

比況の助動詞「ごとし」は、次のように活用します。

未然形	連用形	終止形	連体形	已然形	命令形
（ごとク）	ごとク	ごとシ	ごとキ	○	○

いずれも、**カタカナ部分は送りがな**になります。

漢文では、形容動詞型に活用する「**ごとクナリ**」や、サ変動詞「**ごとクス**（…のようにする）」などもよく用います。

漢文でいえば、何から返るか、古文でいう接続がポイントです。

体言（**名詞**）＋**ノ**
活用語の連体形＋**ガ**
→ **ごとし**

出典は『**荘子**』ですが、このあと、「**小人の交りは甘きこと醴のごとし**」と続きます。君子のつきあいは水のようにさらりとしているが、ダメな人間のつきあいは甘酒のようにベタベタしている。

78 学ぶことは楽しい

◎疑問・反語型の詠嘆形

詠嘆形といえば、「**ああ**（**嗚呼**）」とか、文末の「**かな**（**夫・哉・矣・与・乎**）」などが連想されますが、大事なのは、**疑問・反語型の詠嘆形**です。

まず、「**何…也**（なんゾ…や）」の、**疑問型の詠嘆形**で、「**なんと…なことよ**」と訳します。

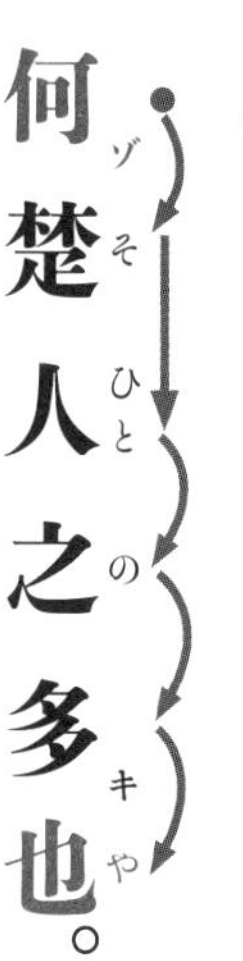

何楚人之多也。

書き下し文 何ぞ楚人の多き**や**。

現代語訳 なんと楚の人間の多い**ことよ**。

四面楚歌の場面で、敵の漢軍に囲まれた**項羽**が、夜、敵の陣中から故郷の楚の歌が聞こえるのを耳にして、慨嘆してつぶやいたことばです。

「何ぞ…や」は、本来疑問形ですが、項羽は誰かに「どうして楚の人間が多いのか」と尋ねているわけではなく、自問しているのです。

次に、「**豈不**（**非**）…**哉**（あニ…ずや・にあらずや）」の、**反語型の詠嘆形**で、「**なんと…ではないか**」と訳します。「豈に…ざらんや」という反語形の読み方はせず、「…**ずや**」と読むことがポイントです。

書き下し文 豈に悲しからずや。

現代語訳 なんと悲しいことではないか。

「**豈非レA哉**」と「非」を用いた形も、「豈にAに非ざらんや」でなく、「非ずや」になります。

三つめは、「**不亦…乎**（また…ずや）」という**反語型の詠嘆形**で、これも、「**なんと…ではないか**」と訳します。

『**論語**』冒頭の、たいへん有名なことばに、用例があります。

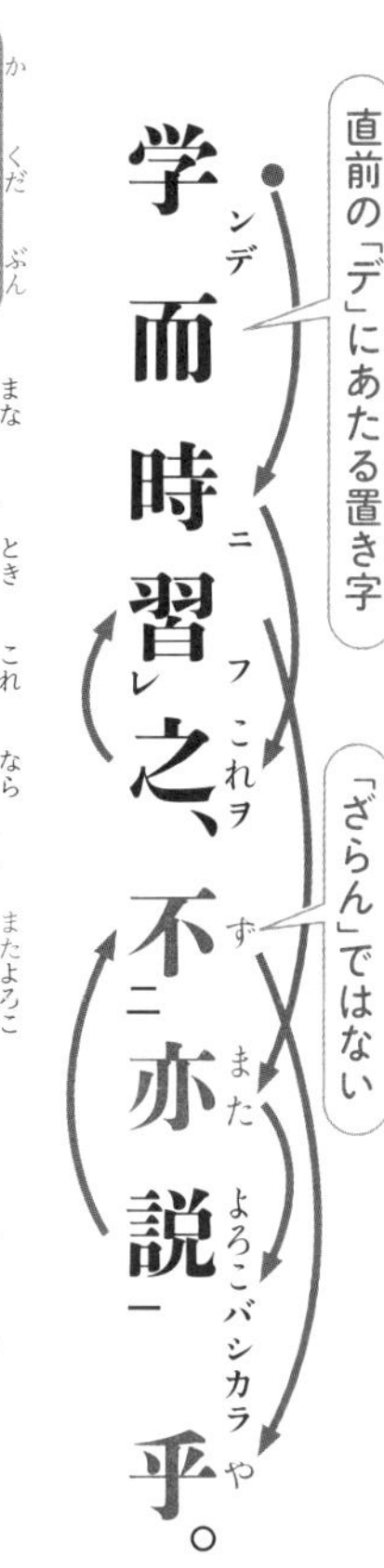

書き下し文　学んで時に之を習ふ、亦説ばしからずや。

現代語訳　教わったことを折にふれて復習する、なんと喜ばしいことではないか。

語句さくいん

〈著者紹介〉
三羽　邦美（みわ・くにみ）
東進ハイスクールの超人気講師。その独特の講義は「ストーリー漢文」と呼ばれ、受験生の人気バツグン!!
著書に、学習参考書、『漢文ヤマのヤマ』『古文ヤマのヤマ』（以上、学研）、『基礎からのジャンプアップノート 漢文句法・演習ドリル』『基礎からのジャンプアップノート 古文単語・暗記ドリル』『三羽邦美の超基礎がため 漢文教室』（以上、旺文社）などのほか、『おとなのためのやさしい漢詩教室』『小学生からの万葉集教室1・2』（以上、瀬谷出版）などがある。

装幀＝こやまたかこ
装画＝宮尾和孝
本文イラスト＝きやんみのる
編集協力・組版＝月岡廣吉郎

YA心の友だちシリーズ

鉄人講師が明かす
三羽邦美の漢文ルール

2020年2月18日　第1版第1刷発行

著　者　三羽邦美
発行者　後藤淳一
発行所　株式会社ＰＨＰ研究所
東京本部　〒135-8137　江東区豊洲5-6-52
児童書出版部　☎03-3520-9635（編集）
普及部　☎03-3520-9630（販売）
京都本部　〒601-8411　京都市南区西九条北ノ内町11
PHP INTERFACE　https://www.php.co.jp/

印刷所　株式会社光邦
製本所　東京美術紙工協業組合

ISBN978-4-569-78919-4

NDC820 175p 20cm